Harald Wohlfahrt

Kunst und Magie in der Küche

Kleine Geheimnisse eines großen Kochs

Mit Fotografien von Björn Kray Iversen
und Texten von Holger Mühlberger

Harald Wohlfahrt

Kunst und Magie in der Küche

Kleine Geheimnisse eines großen Kochs

Inhalt

Dreierlei von Steinpilzen mit altem Balsamico
Gedämpfter Hummer in Safranbouillon mit
Kartoffel-Korianderstampf, Chilifäden und Safranrouille
Lackierte Taube mit Tannenhonig und schwarzem Pfeffer
an Ingwer-Limonensauce
Komposition von Mandelmilchgranité und Baba auf Irish-
Cream, kandierten Kumquats und Tannenharz-Knusperblatt

„Die Kochkunst, richtig ausgebildet,
ist die einzige Fähigkeit des Menschen,
von der sich nur gutes sagen läßt,
und darf poetisch nicht mißbraucht werden."

Friedrich Dürrenmatt: Ein Engel kommt nach Babylon

Gemeinsam an der Spitze

Vertrauen in seine absolute Zuverlässigkeit und Respekt vor seiner unglaublichen Gesamtleistung – das sind nur zwei von vielen guten Gefühlen, die ich nach 30 Jahren Zusammenarbeit mit Harald Wohlfahrt habe. Stets hat er bei allen Aktivitäten die Traube Tonbach als Ganzes im Blick, ohne seine Person in den Vordergrund zu stellen. Harald Wohlfahrt ist bei aller Prominenz ein grundsolider Mensch, der nichts dem Zufall überlässt. Nie sagt er seinen Konkurrenten etwas Schlechtes nach. Für seine Mitarbeiter ist er ein Gesprächspartner mit Kompetenz und Einfühlungsvermögen – ein guter Chef also, was nicht nur in der geringen Fluktuation in seinem Mitarbeiterstab zum Ausdruck kommt, sondern auch in der Vielzahl großartiger Köche, die durch seine Schule gegangen sind. Sein Arbeitgeber ist der Gast, und etwas Besseres kann ich mir als Patron der Traube Tonbach gar nicht vorstellen. Harald Wohlfahrts Arbeit hat überragende Bedeutung für die erfolgreiche Entwicklung des gesamten Hauses. Das wird auch in Zukunft so sein. Denn ich weiß ganz genau: Sein Engagement und seine Begeisterung sind ungebrochen. Er wird weiterhin alles dafür tun, dass wir gemeinsam an der Spitze bleiben. Auch das gehört zu den guten Gefühlen, die unser freundschaftliches Verhältnis als Gastgeber mit höchsten Ansprüchen prägen.

Heiner Finkbeiner

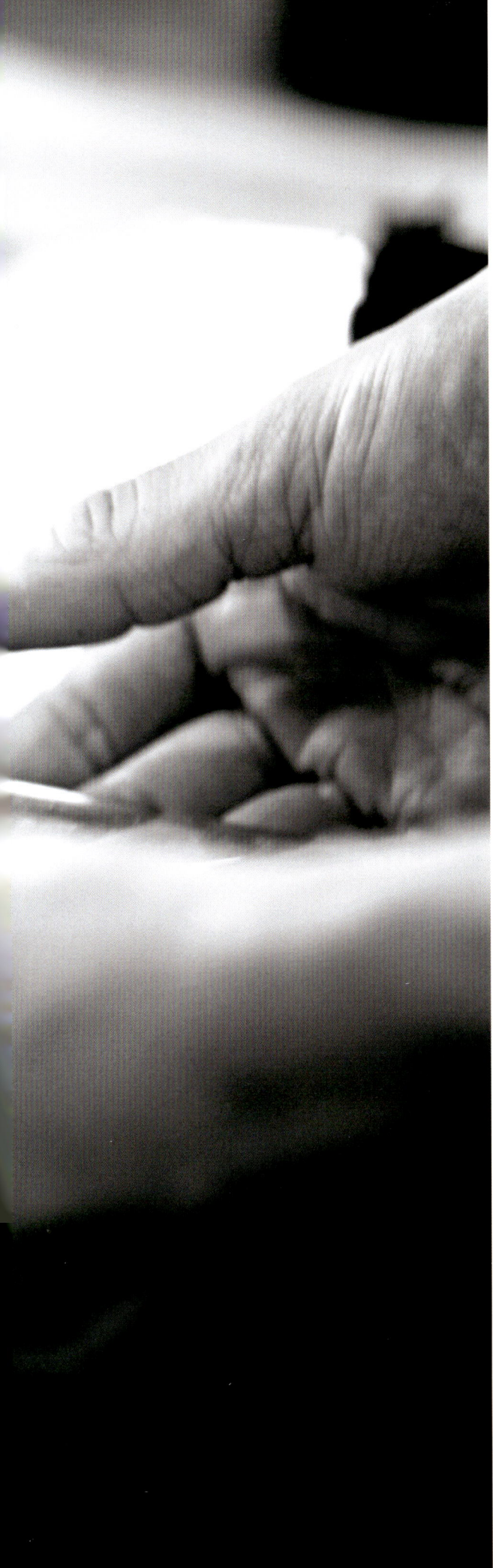

Ehrgeiz mit Genusswert

Der Mann schaut genau hin. Achtsamkeit ist sein Prinzip. Das zeichnet den Menschen Harald Wohlfahrt am meisten aus. Er lässt sich nicht ablenken. Für ihn zählt die Substanz, und Kompromisse sind ihm ein Gräuel. Jenseits aller Meisterschaft in der Küche ist es diese allgegenwärtige Achtsamkeit, die ihn an die Spitze gebracht hat und ihn dort oben über Jahrzehnte hält.

„Manchmal wünsche ich mir, ich hätte nicht einen solch teuflischen Ehrgeiz", hat Harald Wohlfahrt in einem Gespräch mit Journalisten gesagt. Das war 1988 – zu jener Zeit also, als er nach dem dritten Stern griff. Er hat diesen Stern vor allem deshalb geholt und behalten, weil er die Achtsamkeit über seinen Ehrgeiz gestellt hat und über die Strenge mit sich selbst. Mitunter lässt ihn das „wie einen Zen-Mönch wirken, der selbstversunken die Erleuchtung sucht", haben die Journalisten damals geschrieben. Der Satz wird ihm auch heute noch gerecht; denn er ist sich selbst treu geblieben.

Gerade bei den Besten verschwimmen oft die Grenzen zwischen Profession und Obsession. Dieser Gefahr kann sich auch ein Meister der Selbstdisziplin, wie Wohlfahrt einer ist, nicht entziehen. Aber die Jagd nach der absoluten Leistung hat sein Wesen nicht verändert. Der Mann hat bei aller Ausdauer und allem Erfolg das absolute Ziel nie aus den Augen verloren: den Menschen Genuss zu bringen, ihnen unvergessliche Erlebnisse zu bieten. Darauf achtet er ganz besonders. Das ist sein Erfolgsrezept.

„Das Schöne am Frühling ist,
dass er immer dann kommt,
wenn man ihn am
dringendsten braucht."

Jean Paul

Flusskrebse

in Tomatengelee
mit Koriander und
Gurkensauerrahm

Zubereitung

1. Tomatengelee: Alle Zutaten bis auf die Gelatine im Mixer grob zerkleinern. Den Inhalt des Mixers in ein Passiertuch geben und die Flüssigkeit in einer Schüssel auffangen. Im Kühlschrank ca. 12 Stunden abtropfen lassen. Den Abtropfsaft in einem Topf erwärmen, eingeweichte Gelatine gut ausdrücken und langsam darin auflösen. Mit Salz und Pfeffer abschmecken und das Gelee erkalten lassen.

2. Einlage: Flusskrebse in sprudelnd kochendes Salzwasser geben, den Topf an den Herdrand ziehen und die Krebse 6 Minuten gar ziehen lassen. In Eiswasser abkühlen, Scheren und Schwänze der Flusskrebse ausbrechen und kalt stellen. Karotte, Staudensellerie und Lauchzwiebeln in kleine Würfel schneiden, in Salzwasser blanchieren und in Eiswasser abschrecken. Danach gut abtropfen lassen. Tomaten über Kreuz einschneiden, 15 Sekunden blanchieren, in Eiswasser abschrecken und die Haut abziehen. Tomaten vierteln, Kerngehäuse entfernen und das Fruchtfleisch in kleine Rauten schneiden.

3. Gurkensauerrahm: Gurke schälen und in feine Würfel schneiden. Mit Crème fraîche, Zitronensaft und Dill vermischen, mit Meersalz und Pfeffer würzen.

4. Kartoffelgitter: Geschälte Kartoffel mit einem Gemüsespaghettischäler in lange Streifen schneiden, mit Salz und Pfeffer leicht würzen. In einer beschichteten Pfanne in der geklärten Butter 4 dünne Kartoffelgitter bei kleiner Hitze knusprig braun braten. Auf Küchenkrepp abtropfen lassen.

5. Flusskrebse: Je drei Flusskrebsschwänze in tiefe Teller legen. Tomatengelee mit Gemüsewürfeln, Tomatenrauten und fein geschnittenem Koriander vermischen und die Krebsschwänze damit übergießen. Im Kühlschrank ca. 1 Stunde fest werden lassen.

6. Anrichten: Teller mit je einem Löffel Gurkensauerrahm, den Krebsscheren, Schnittlauchspitzen, Borretschblüten und einem Kartoffelgitter garnieren und sofort servieren.

Flusskrebse

in Tomatengelee mit Koriander und Gurkensauerrahm

Die Zutaten

Zutaten für 4 Personen
Tomatengelee:

1,5 kg reife Eiertomaten

5 Basilikumblätter

5 Korianderblättchen

1 kleiner Bund Estragon

5 Rosmarinnadeln

1 Thymianzweig

5 Knoblauchzehen, geschält

15 g Meersalz, ½ TL Zucker

½ TL weißer Pfeffer,
frisch gemahlen

2 TL Champagneressig

6 Gelatineblätter

Meersalz, weißer Pfeffer aus
der Mühle zum Abschmecken

Einlage:

12 Flusskrebse à 100 g

1 Karotte

1 Stange Staudensellerie

2 Lauchzwiebeln mit Grün

2 Eiertomaten

Gurkensauerrahm:

80 g Salatgurke

50 g Crème fraîche

Saft einer halben Zitrone

1 EL fein geschnittener Dill

Meersalz, weißer Pfeffer
aus der Mühle

Kartoffelgitter:

1 große, längliche Kartoffel

Salz, Pfeffer,
geklärte Butter zum Braten

Garnitur:

12 Korianderblättchen,
fein geschnitten

8 Schnittlauchspitzen

4 Borretschblüten

Wolfsbarsch-Schnitte

mit kross gebratener
Haut auf Tomaten,
Fenchelkompott und
Pistousauce

Zubereitung

1. Fenchelkompott: Fenchel mit Knoblauch und Rosmarin im Olivenöl weich dünsten. Ricard dazugeben und die Flüssigkeit einkochen lassen. Rosmarin und Knoblauch entfernen, den Fenchel im Mixer fein pürieren, Butter hinzufügen und mit Salz und Pfeffer aus der Mühle abschmecken.

2. Tomatenkompott: Schalotten und Knoblauch in einem kleinen Topf in Olivenöl glasig dünsten. Tomatenwürfel und Weißwein hinzufügen und köcheln lassen, bis die Flüssigkeit vollständig verdampft ist. Mit Salz und Pfeffer aus der Mühle und Cayennepfeffer würzen und zum Schluss das Basilikum unterheben.

3. Pistousauce: Tomatenwürfel mit den restlichen Zutaten gut vermischen und mit Salz und Pfeffer abschmecken.

4. Wolfsbarsch: Die vier Wolfsbarsch-Stücke mit Salz und Pfeffer auf beiden Seiten würzen und die Fleischseite kurz in Mehl tauchen. Olivenöl auf dem Grill oder in einer Grillpfanne erhitzen. Die Fischstücke zuerst mit der Hautseite hineinlegen, damit die Haut schön kross wird, und 2 Minuten anbraten. Dann den Fisch wenden und nochmals 2 Minuten braten.

5. Anrichten: Tomatenkompott mit Hilfe eines Ausstechrings auf einem vorgewärmten Teller anrichten. Das Fenchelkompott darüber streichen. Vorsichtig den Ausstechring entfernen und das Gemüse mit je einer Wolfsbarsch-Schnitte belegen. Mit der Pistousauce umgießen und mit frittiertem Sternanis und Fenchelscheiben garnieren. Sofort servieren.

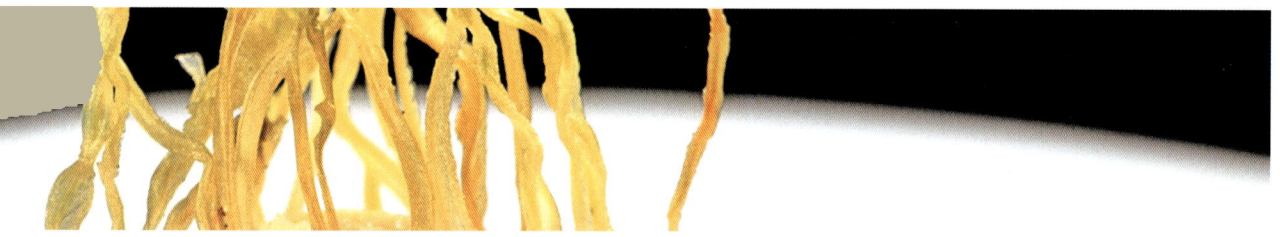

Wolfsbarsch-Schnitte

mit kross gebratener Haut auf Tomaten, Fenchelkompott und Pistousauce

Die Zutaten

Zutaten für 4 Personen
4 Tranchen Wolfsbarsch
mit Haut à 110 g
Meersalz
Pfeffer aus der Mühle
Mehl zum Wenden

Fenchelkompott:
300 g Fenchel, gewürfelt
1 Knoblauchzehe
1 kl. Rosmarinzweig
3 EL Olivenöl
3 EL Ricard
100 g Butter
Salz und Pfeffer aus der Mühle

Tomatenkompott:
3 Schalotten, fein gewürfelt
1 Knoblauchzehe, fein gewürfelt
3 EL Olivenöl
6 Eiertomaten, gehäutet,
entkernt und gewürfelt
100 ml Weißwein
Salz und Pfeffer aus der Mühle
Cayennepfeffer
1 TL fein geschnittener Basilikum

Pistousauce:
4 große Eiertomaten, gehäutet,
entkernt und gewürfelt
3 EL Balsamicoessig
100 ml Olivenöl
Saft von 2 Zitronen
1 Knoblauchzehe, fein gehackt
6 Basilikumblätter, fein geschnitten
Salz und Pfeffer aus der Mühle

Garnitur:
8 dünne Fenchelscheiben,
in Öl frittiert oder im Ofen
getrocknet
Sternanis, frittiert

Lammkarree

mit Paprika-
Ingwerkruste und
provenzalischem
Gemüsefächer an
Balsamicosauce

Zubereitung

1. Gemüsefächer: Aubergine und Zucchini zuerst der Länge nach halbieren und dann in dünne Scheiben schneiden. Roten und gelben Paprika schälen, vierteln, entkernen und mit einem Ausstechring von 3 cm Ø, 8 Scheiben ausstechen und halbieren. Olivenöl erhitzen, Knoblauch, Thymian und Rosmarin hinzufügen. Die Auberginen-, Zucchini- und Paprikastücke darin kurz anbraten, mit Salz und Pfeffer würzen, auf Küchenkrepp abtropfen und erkalten lassen. Auberginen, Zucchini und Paprikastücke fächerförmig auf ein Backblech legen und kurz vor dem Servieren im Ofen bei 200 °C 10 Minuten garen.

2. Auberginenpüree: Aubergine längs halbieren und das Fruchtfleisch kreuzweise einschneiden. Auberginen mit der Schnittfläche nach oben auf ein Backblech legen und mit Salz und Pfeffer würzen. 50 ml Olivenöl mit den fein geschnittenen Kräutern vermischen und über die Auberginen gießen. Im Umluftofen bei 200 °C 45 Minuten garen. Auberginenfleisch aus der Schale lösen und fein hacken. Restliches Olivenöl erhitzen und den fein geschnittenen Knoblauch und die Schalottenwürfel darin andünsten. Mit Essig ablöschen und gänzlich einkochen lassen. Das Auberginenfleisch hinzufügen, unter Rühren erhitzen und mit Salz und Pfeffer abschmecken.

3. Garnitur: Olivenöl erhitzen und die Knoblauchzehen darin 15 Minuten gar ziehen lassen. Korianderblätter und Thymianzweige in der Fritteuse bei 150 °C kurz frittieren und auf Küchenkrepp abtropfen lassen.

4. Lamm: Getrocknete Paprikaschale fein pürieren. Den fein geriebenen Ingwer und das Öl hinzufügen und mit Salz und Pfeffer aus der Mühle würzen. Die Lammkarrees auf beiden Seiten salzen und mit Pfeffer aus der Mühle würzen. Öl in einem Bräter erhitzen und die Lammkarrees darin kräftig anbraten. Gewürfelten Lauch, Staudensellerie, ungeschälten Knoblauch und gewürfelte Schalotten hinzufügen. Die Karrees im vorgeheizten Backofen bei 220 °C ca. 8 Minuten braten. Zwischendurch wenden, danach aus dem Bräter nehmen und an einem warmen Ort ruhen lassen. Das Fett abgießen und mit Balsamicoessig und Rotwein ablöschen. Mit dem Lammfond aufgießen und auf die Hälfte der Flüssigkeit einkochen lassen. Die Sauce durch ein Haarsieb gießen und bei Bedarf mit Salz und Pfeffer nachwürzen.

6. Anrichten: Die Lammkarrees mit Paprika-Ingwer-Ölmischung bestreichen, mit geriebenen Weißbrotkrumen bestreuen und unter dem heißen Grill 2 Minuten bräunen. Das Fleisch auf einem vorgewärmten Teller anrichten und mit Gemüsefächer, Auberginenpüree, geschmortem Knoblauch und frittierten Kräutern garnieren. Zum Schluss mit der heißen Sauce umgießen.

Lammkarree

mit Paprika-Ingwerkruste und provenzalischem Gemüsefächer an Balsamicosauce

Die Zutaten

Zutaten für 4 Personen
2 Lammkarrees à 460 g,
küchenfertig
4 EL Olivenöl
Salz
Pfeffer aus der Mühle

Balsamicosauce:
1 Stange Lauch
5 Schalotten
2 Staudensellerie
3 Thymianzweige
3 Rosmarinzweige
2 Knoblauchzehen
1 Lorbeerblatt
100 ml kräftiger
Rotwein
50 ml alter
Balsamicoessig
1 l Lammfond
Salz
Pfeffer aus der Mühle

5 Basilikumblätter
1 Knoblauchzehe
1 Schalotte
40 ml Weißweinessig
Salz
Pfeffer aus der Mühle

Paprika-Ingwerkruste:
60 g Paprikaschale,
getrocknet
40 ml Olivenöl
1 frische Ingwerwurzel
50 g Weißbrot,
fein gerieben
Salz
Pfeffer aus der Mühle

Gemüsefächer:
150 g Aubergine
je 150 g gelbe und
grüne Zucchini
je 150 g gelbe und
rote Paprika
100 ml Olivenöl
1 Knoblauchzehe
2 Thymianzweige
2 Rosmarinzweige
Salz, Pfeffer
aus der Mühle

Garnitur:
8 Knoblauchzehen
4 Thymianzweige
4 Korianderblätter
Öl zum Frittieren

Auberginenpüree:
1 Aubergine à 400 g
100 ml Olivenöl
½ TL Thymian,
fein gehackt
½ TL Rosmarin,
fein gehackt

Lauwarmer Moelleux

mit Zitronenthymian
und marinierten
Erdbeeren

Zubereitung

1. Zitronencreme-Füllung (Kerne): Zitronensaft, Orangensaft, Eigelb und Zucker unter Rühren zum Kochen bringen. Eingeweichte Gelatine abtropfen lassen und langsam dazugeben. Die Butter unterrühren und glatt streichen. Die Zitronencreme in 12 Flexipan-Halbkugeln (3 cm Ø) gießen und gefrieren lassen.

2. Zitronenthymian-Biskuit: Zucker und Eigelb schaumig schlagen. Die weiche Butter, Thymianblätter und Zitronenabrieb unterrühren. Eiweiß und 60 g Zucker zur „Vogelnase" steif schlagen. Ein Drittel unter die Eigelb-Mischung heben. Mandelgrieß und Mehl unterrühren und den restlichen Eischnee unterheben. Die Masse in die vorbereiteten Ringe verteilen, je eine gefrorene Zitronencreme-Kugel in die Mitte drücken und gefrieren lassen. Zum Anrichten bei 190 °C im Umluftofen ca. 10 Minuten backen lassen.

3. Mandarinen-Erdbeeren-Fächer: 12 Erdbeeren in Fächer schneiden. Restliche Erdbeeren in kleine Würfel schneiden und in die Erdbeeren coulis mischen.

4. Erdbeeren coulis: Erdbeerstücke, Orangensaft und Zucker im Mixer pürieren und durch ein Sieb streichen. Erdbeersauce leicht erwärmen. Julienne und Grand Marnier mit der Erdbeersauce verrühren. Sauce kalt stellen.

5. Limonen-Pistazien-Marmelade: Limonenschalen in Julienne schneiden und drei Mal blanchieren. In Läuterzucker erhitzen und kandieren lassen. Limonenfleisch klein hacken, mit Zucker und Glukose zum Kochen bringen, bei Fadenbildung Pektin-Zuckermischung unterrühren. Weiterkochen bis zur gewünschten Konsistenz. Fein gehackte Julienne und Pistazien unterrühren.

6. Anrichten: Wie auf dem Foto anrichten.

Lauwarmer Moelleux

mit Zitronenthymian und marinierten Erdbeeren

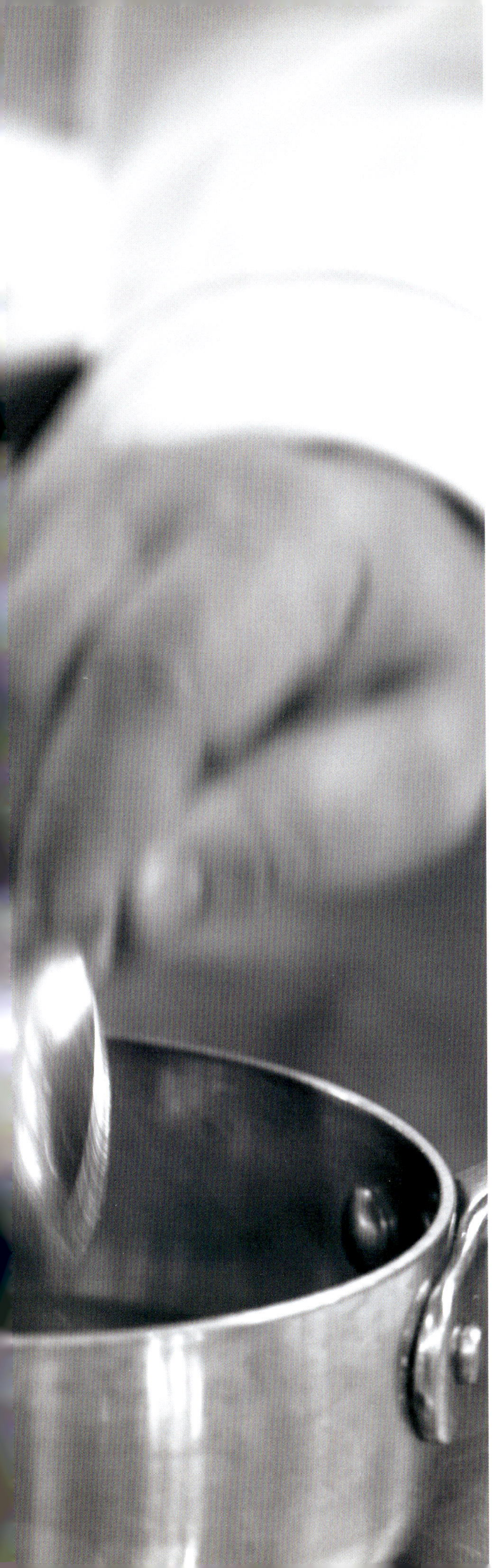

Die Zutaten

Für ca. 12 Personen
Zitronencreme-
Füllung (Kerne):
50 g Zitronensaft
25 g Orangensaft
30 g Eigelb
50 g Zucker
1 g Gelatine
50 g Butter
12 Flexipan-
Halbkugeln (3 cm ø)

Zitronenthymian
Biskuit:
Vorbereitung:
Ca. 12 Blätter
Backpapier
(16 x 5 cm)
mit geschmolzener
Butter bestreichen
12 Metallzylinder
(ø 4 cm)
auf dem Backpapier
auslegen

80 g Zucker
110 g Eigelb
110 g weiche Butter
2 kl. Zweige
Zitronenthymian
geriebene Schale
einer Zitrone
75 g Mandelgrieß
50 g Mehl
150 g Eiweiß
60 g Zucker

Mandarinen-
Erdbeeren-Fächer:
24 Erdbeeren
Erdbeeren coulis

Erdbeeren coulis:
100 g Erdbeeren
Saft einer Orange
30 g Zucker
10 g Julienne von
kandierten Orangenschalen
10 ml Grand Marnier

Limonen-Pistazien-
Marmelade:
Schalen von 3 Limonen
Läuterzucker (Zucker
und Wasser in gleichen Teilen
zum Kochen bringen)
150 g Limonenfleisch
75 g Zucker
30 g Glukosesirup
25 g Zucker und 3 g Pektin
10 g gehackte Pistazien

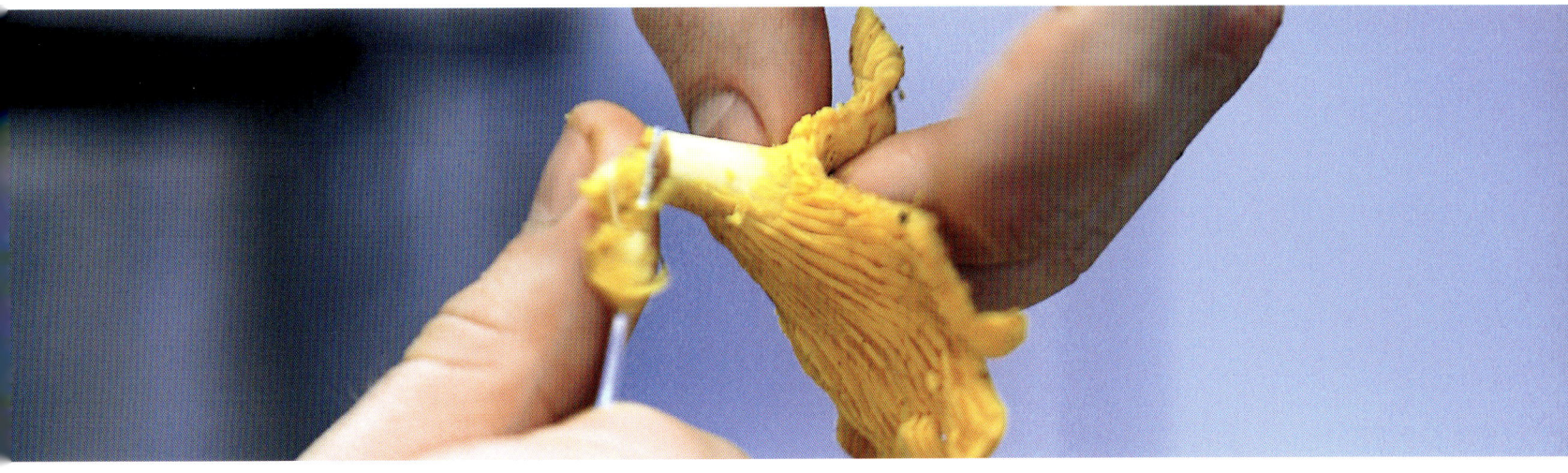

Frische Pilze und gute Schwingungen

„Der Wald spricht." Für Harald Wohlfahrt ist der Schwarzwald Heimat und Ener-
giequelle. Hier findet er Ruhe und Entspannung, hier tankt er auf und trainiert
sein Wahrnehmungsvermögen: „Geräusche und Gerüche nehme ich hier in mich
auf. Und jede Jahreszeit riecht anders. Am liebsten mag ich den Duft von frischen
Pilzen. So ein Waldspaziergang ist wie eine Entdeckungsreise für meine Sinne.
Hier sind gute Schwingungen. So etwas braucht man in meinem Beruf."

Heimatgefühle? Wohlfahrt wird nachdenklich. „Den Schwarzwald liebe ich, und ich
verdanke ihm unendlich viel. Ich wohne und arbeite nicht nur hier – ich bin hier richtig
zuhause." Heimat als Erfolgsrezept? So ganz ohne Einschränkung will er das nicht
gelten lassen: „Wenn du talentiert, zielstrebig, willensstark und ehrgeizig bist, dann
hast du sehr wahrscheinlich überall Erfolg. Ich denke, das hätte ich auch anderswo
gepackt. Aber Heimat ohne Erfolg, das wäre für mich nicht zu ertragen. Glücklich ist,
wer beides zugleich haben kann." Das zufriedene Lächeln wirkt nicht aufgesetzt.

Harald Wohlfahrt (Mitte) 1961

Ein Bub im Schwarzwald

Mütterlicherseits ist Harald Wohlfahrt ein echter Schwarzwälder Bub. Sein Vater ist nach dem Zweiten Weltkrieg aus Thüringen in den Nordschwarzwald gekommen. 1955 ist er – gerade eine halbe Autostunde von Baiersbronn entfernt – in Loffenau bei Baden-Baden geboren worden und hat seine Kindheit auf dem Dorf verbracht. „Das klingt fast romantisch. Aber wenn man als drittes von sieben Kindern auf die Welt kommt, ist es mit der Romantik nicht so weit her", sagt der Mann in seinen besten Jahren heute beim Blick zurück auf seine frühen Jahre.

Dem Großvater ist Harald damals gerne zur Hand gegangen und hat mitgeholfen, dessen kleines landwirtschaftliches Anwesen zu bewirtschaften – im Nebenerwerb. Das Geld zum Leben hat der Opa als Holzhauer verdient. „Wir beide haben das Futter für die drei Kühe und für die etwa 40 Stallhasen gemäht und nach Hause gebracht. Und das Beste daran: Hinter den letzten Häusern unseres Ortes hat der Opa kurz angehalten und mich ans Lenkrad des Traktors gelassen. Ich bin über Wiesen und Feldwege getuckert, das hat einen Riesenspaß gemacht", erinnert sich Wohlfahrt und setzt sein spitzbübisches Lächeln auf.

Seine Liebe zur Natur ist früh erwacht: „Man kann das Leben riechen, die Erde fühlen. Man kann Pflanzen und Tiere entdecken, man kann alles hautnah spüren. Man kann anpflanzen, die Kulturen pflegen und sich über die Ernte freuen. So ein Bauerngarten ist das reinste Paradies. Es ist doch immer wieder erstaunlich, was die Natur uns schenkt. Wir sollten Respekt davor haben und das Beste daraus machen."

Damals in Loffenau haben sie im Haus, im Garten und auf dem Feld alle mit angepackt, die Jungen und die Alten. Manchmal war das Knochenarbeit, weil Maschinen auf dem hügeligen Gelände längst nicht überall eingesetzt werden konnten. „Trotzdem wollte ich Bauer werden, ich war einfach begeistert von diesem Leben und von dem, was wir da erzeugt haben: natürliche Lebensmittel."

Harald Wohlfahrt in der Sonntagschule in Loffenau 1963

Die Großeltern waren Selbstversorger. Und die heute selbstverständliche Fahrt in den Supermarkt? „Undenkbar", sagt Harald Wohlfahrt, „und auch gar nicht nötig. Wir hatten ja alles, was wir zum Leben brauchten." Großmutters Hühner legten so lange Eier, bis sie in den Suppentopf oder in die Bratröhre wanderten. „Im Sommer gab es reichlich Äpfel und Birnen von den Streuobstwiesen. Wir haben köstlichen Obstkuchen damit gebacken, Most gekeltert oder Dörrobst für den Winter daraus gemacht." Der Metzger ist damals in Loffenau zur Hausschlachtung gekommen. Blut- und Leberwürste und Schinkenwurst in Dosen waren stets vorrätig. Solche Hausschlachtungen waren richtige Festtage für die Familie. Die Kinder haben zugesehen und mitgeholfen. Dass Tiere sterben mussten, um die Menschen zu ernähren, war für Harald Wohlfahrt und seine Geschwister ganz selbstverständlich.

„Und wenn sonntags Hasenbraten auf den Tisch gekommen ist, dann hat niemand danach gefragt, ob vielleicht gerade dieser Hase dem einen oder anderen besonders ans Herz gewachsen war. Den Appetit hat uns das jedenfalls nicht verdorben."

Harald Wohlfahrt`s Großeltern mit Enkelkindern 1964

Schlüsselerlebnis am Sonntag

An den Werktagen ist nicht großartig gekocht worden damals in Loffenau, weil einfach die Zeit nicht gereicht hat bei der vielen Arbeit. Aber ordentlich gevespert haben sie immer, die Wohlfahrts, und sonntags hat sich der Vater an den Herd gestellt. Für Sohn Harald war das eine Art Schlüsselerlebnis. Denn der Vater hat gerne und gut gekocht – kein Vergleich mit den Kreationen, die heute aus der Küche der „Schwarzwaldstube" kommen. „Aber es hat der ganzen Familie geschmeckt, und ich fand es toll, dass mein Vater sich so für uns alle engagiert hat statt sich auszuruhen, wo er doch unter der Woche Schicht geschafft hat, in einem Metall verarbeitenden Betrieb. Ich habe ihn dafür bewundert."

Daheim bei Tisch galten feste Regeln. Jeder hat seinen Platz; es gib eine Art Rangordnung, die eisern eingehalten wird – auch beim Auftischen und Austeilen: „Das erste Stück Fleisch hat immer der Vater als Oberhaupt und Ernährer der Familie bekommen. Das war immer so, und niemand hat das jemals infrage gestellt." Diese gemeinsamen Mahlzeiten und die Harmonie im Familienkreis bereiten dem Schüler und Gelegenheitslandwirt Harald Wohlfahrt Freude – und ganz im Stillen ist wohl damals schon der Wunsch entstanden, später einmal selbst mehr zu machen aus diesem Thema.

Harald Wohlfahrt mit 17 Jahren

Die „Sonne" bringt es an den Tag

Viel Zeit hat sie nicht in Anspruch genommen, die Berufswahl des damals 15-jährigen Harald, und die Auswahl an Stellen in der kleinen Schwarzwaldgemeinde und ihrer Umgebung war auch nicht gerade üppig. Der Besuch weiterführender Schulen blieb ihm versagt. „Dafür hat bei uns einfach das Geld nicht gereicht", erinnert sich Wohlfahrt an diese entscheidende Phase seines Lebens.

Die Landwirtschaft als berufliches Ziel musste er sich aus dem Kopf schlagen: als Haupterwerb zu unrentabel. Dem Beispiel seiner Brüder folgend hätte er nach Abschluss der neunten Klasse sicher einen Ausbildungsplatz in einem der mittelständischen Metallbetriebe gefunden, einem traditionell bedeutenden Wirtschaftszweig im Schwarzwald. Die Metallbranche boomte in jenen Jahren. „Aber mir war längst klar: Das ist nichts für mich", sagt Wohlfahrt heute ohne Reue.

Zwischenzeitlich ist die Lösung des Problems schon näher gerückt. Nur ein paar Schritte von Haralds Elternhaus entfernt steht die „Sonne", ein Wirtshaus mit angeschlossener Metzgerei. Schon während der Schulzeit bessert er sich dort mit Aushilfsarbeiten das Taschengeld auf. Für den Wirt reinigt er die Mostfässer und beim Schlachten geht er dem Metzger zur Hand. Unterdessen steigt ihm aus der benachbarten Gastküche der Geruch von Braten und Saucen, Schnitzeln und Gemüse in die Nase. Harald bekommt Lust auf mehr, aber für eine Kochlehre ist die „Sonne" nicht erste Wahl.

„Erkundigt euch doch mal in den Gasthäusern und Hotels Richtung Dobel und Bad Herrenalb. Dort fahren viele Touristen hin, dort gibt's auch viele gute Häuser. Ich kenne dort einen guten Betrieb, da kannst du dich bewerben." Dieser Tipp eines Bekannten bringt den Durchbruch: Wenig später kann Harald Wohlfahrt seine erste Lehrstelle im renommierten „Mönchs Waldhotel" in Dobel antreten. „Von Spitzengastronomie hab ich seinerzeit wirklich keine Ahnung gehabt. Aber heute ist mir klar: Dort haben sie mir eine solide berufliche Basis vermittelt, dort habe ich verstanden, was es heißt, als Koch professionell zu arbeiten." So kommentiert der Drei-Sterne-Koch Harald Wohlfahrt die bescheidenen Anfänge seiner sagenhaften Karriere.

Das Jahr 1 nach Loffenau

Erstmals war er auf sich allein gestellt. Die 16 Kilometer zwischen Loffenau und Dobel waren zu viel zum Pendeln mit dem Bus. Außerdem liegen zwischen den Arbeitszeiten in der Gastronomie und den Fahrplänen des öffentlichen Personennahverkehrs auch heute noch Welten. Fürs Heimweh blieb dem Kochlehrling Harald, der jetzt in seinem Ausbildungsbetrieb wohnte, nicht viel Zeit.

Sechs Arbeitstage hatte die Woche und für den Lehrling fing der Tag um 8.30 Uhr an: „Zuerst Frühstückstische eindecken im Restaurant. Dann ab in die Küche zum Putzen und zum Vorbereiten. Zwei Stunden Verschnaufpause nach dem Mittagsgeschäft so gegen 14.30 Uhr und dann wieder weiterarbeiten bis 22 Uhr. Stundenlang mit schweren Töpfen hantieren, in Windeseile große Pfannen schrubben und wieder an den Herd bringen – das war ganz schön anstrengend. Nach Hause zur Familie und zu den Freunden kam ich nur noch selten. Da können dir schon Zweifel kommen. Aber an Aufhören hab ich nie ernsthaft gedacht. Ich wollte jetzt noch mehr denn je ein guter Koch werden."

In „Mönchs Waldhotel" wurde gutbürgerlich gekocht. Die Speisekarte war auf Touristen und Wochenendausflügler zugeschnitten: Tagessuppe, gemischter Salat, Hauptspeise und manchmal Dessert. Das war Standard in der Region. Durch die Hausgäste kam noch etwas Abwechslung in den Betrieb. Denn für sie bereitete die Küche auch Vorspeisen, Salatvariationen und kalte Buffets. „Und als Lehrlinge, da hatten wir buchstäblich den Salat", erinnert sich Harald Wohlfahrt an sein gastronomisches Einstiegsjahr, das er größtenteils auf dem Salatposten zubrachte: „Tag für Tag, Woche für Woche, Monat für Monat haben wir Berge von Salat geputzt und unzählige Salate angerichtet. Da musste jeder durch."

Auf verlorenem Posten hat der ehrgeizige Lehrling in diesem ersten Berufsjahr trotzdem nicht gestanden: „Die Salatecke war eine prima Beobachtungsposition. Ich hab genau gesehen, was in der Küche abläuft: Wer wann was anpacken muss, welches Handwerkszeug zum Einsatz kommt und wie man es benutzt. Ich hab auch gesehen, wann mit welchem Produkt was passiert und wie man richtig damit umgeht." Dem neugierigen Berufsanfänger offenbarte sich dabei ein ehernes Gesetz erfolgreicher Gastronomie: Ohne Disziplin und Ordnung ist die ganze Kreativität nicht die Hälfte wert.

Der Chef ruft zur Ordnung

Disziplin ist ein Kapitel für sich im Leben des Harald Wohlfahrt. Er übertreibt selten. Jeder Auftritt wirkt wohlüberlegt. Aber dahinter steckt weniger die kühle Berechnung. Wohlfahrt ist von Natur aus ein Mann der sparsamen Gesten, der klaren Worte. Er wirkt fast asketisch, wenn er im Plauderstübchen der „Schwarzwaldstube" Besuch empfängt. Selbstbeherrschung zählt er auch zu seinen guten Eigenschaften. Pünktlichkeit zählt zu den Tugenden, die er nicht nur an sich selbst besonders schätzt. Er gibt im populär-gastronomischen Rollenspiel viel eher den souveränen Kunsthandwerker als den schrillen Aktionskünstler.

Laut wird er nur ganz selten. „Aber manchmal muss es halt sein. Ich hab ja wirklich nichts gegen gute Laune in der Küche. Aber sie darf nicht von unserer Arbeit ablenken. Die fordert höchste Konzentration, und wenn ein bestimmter Pegel überschritten ist, dann muss ich einfach zur Ordnung rufen." Widerstand ist zwecklos, das wissen seine Mitarbeiter ganz genau. Aber die Ordnungsrufe des Teamchefs sind keine Schikane, auch sie wirken wohl(fahrt)kalkuliert. „Ohne Disziplin und Ordnung kein Erfolg. Diese Erkenntnis wird ihnen später helfen, so wie sie mir von Anfang an in meinem Beruf als Koch geholfen hat", sagt der Chef.

Lehrabschlußprüfung - Köche, am 15.10.1973

Hotel "Waldeck"   Freudenstadt

Brigade I Menu I   für 20 Personen

Kaltes Ei auf dänische Art

Spargelrahmsuppe

Tafelspitze Westmoreland
Fondant - Kartoffeln
Endiviensalat

Caramelpudding

Die Jahre 2 und 3 nach Loffenau

Lehrjahre sind keine Herrenjahre. Da macht die Gastronomie gewiss keine Ausnahme.

Aber mit dem Eintritt ins zweite Lehrjahr ist für den aufstrebenden Harald der gröbste Einstiegsfrust vorüber. Denn Karl Killmayer, Küchenchef in „Mönchs Waldhotel", erkennt rasch, welche Talente in seinem Lehrling schlummern. Er ist meist einen Tick schneller als die Anderen. Er ist wissbegierig, einsatzfreudig und beweglich. So wird Killmayer zum ersten professionellen Förderer des jungen Harald Wohlfahrt – und spart sich selbst dabei viel Arbeit, die ihm sein Schüler begeistert abnimmt. „Auf den ist Verlass", denkt der Küchenchef und belohnt dieses Engagement mit vielen guten Ratschlägen. Er lässt den jungen Mann gewähren und gibt bereitwillig auch Arbeiten ab, die eigentlich Chefsache sind. Wohlfahrts Begabung, eigene Ideen und die verfügbaren Produkte gekonnt miteinander zu verbinden, erhält täglich frische Nahrung.

Dennoch: Das Tagesgeschäft war hart. An guten Tagen mit bis zu 200 Mittagessen kam sogar das eingespielte Team mitunter an die Grenzen seiner Leistungsfähigkeit. Wohlfahrt sagt heute, es sei schon damals sein Ehrgeiz gewesen, auch bei Hochbetrieb den letzten Teller mit der gleichen Sorgfalt zuzubereiten wie den ersten. Was ihn am meisten störte an diesem gastronomischen Format? „Zum Beispiel der Umgang mit Gewürzen. Das war fast ein Buch mit sieben Siegeln. Man hat viele davon genutzt und eingesetzt, aber nicht mit dem Hintergrund und dem Verständnis, wie es die heutige Spitzengastronomie entwickelt hat." Auch mit den Produkten selbst sei man längst nicht immer so sensibel umgegangen, wie sie es eigentlich verlangt hätten, räumt Harald Wohlfahrt ein. „Aber ich hab immer versucht, das Beste daraus zu machen. Feine Schwarzwaldforellen zum Beispiel waren eine Herausforderung. Sie wurden frisch geschlachtet, à la minute warm geräuchert und sofort serviert. Da muss auch unter Druck jeder Handgriff sitzen."

Der Einsatz wird belohnt, nicht nur mit Worten, sondern auch mit Geld. Schon während seiner letzten Monate als Lehrling in „Mönchs Waldhotel" auf dem Dobel bekommt er 400 Mark Monatsgehalt – so viel wie ein Geselle, der die Ausbildung bereits abgeschlossen hat. Diesen Vertrauensvorschuss rechtfertigt Harald Wohlfahrt ein paar Wochen später mit dem Bestehen der Gesellenprüfung. Den praktischen Teil absolviert er zentral in Freudenstadt. „Trotz Lampenfieber hat alles geklappt. Aber für einen jungen Kerl ist es gar nicht so einfach, plötzlich vor vielen Menschen in einer unbekannten Küche arbeiten zu müssen – noch dazu, wenn man ein Menu als Aufgabe gezogen hat, dessen Gerichte man nur aus der Theorie kennt. Das macht nervös", gibt Wohlfahrt heute zu. Deshalb findet er die sogenannte Schweizer Methode, wie sie jetzt angewendet wird, besser: Die Prüfer besuchen den Auszubildenden im Lehrbetrieb und lassen ihn in der gewohnten Umgebung kochen.

Fehlstart ohne Folgen

Für den 18-jährigen Jungkoch waren Guide Michelin und Gault Millau noch Fremdworte. Deshalb hat Harald Wohlfahrt nie im legendären „Erbprinz" in Karlsruhe-Ettlingen gekocht – eine der absoluten Top-Adressen im Land. Dort hätte er schon früh mit Protagonisten der deutschen Spitzengastronomie wie Eckart Witzigmann am Herd stehen können. Sogar einen einflussreichen Fürsprecher hatte er. Stattdessen trat Wohlfahrt im Hotel „Drei Mohren" in Garmisch-Partenkirchen an – und bald wieder ab. Daran war auch die Leberknödelsuppe Schuld. Denn die wurde nicht frisch gekocht, sondern für alle Gäste auf einmal gemacht und brodelte den ganzen Tag auf dem Herd vor sich hin. Was am Abend übrig blieb, wurde anderntags aufgewärmt. Die Konsistenz der Leberknödel und das Maß an Wohlfahrtscher Berufszufriedenheit trafen sich beim Prädikat „unerträglich". Und weil der heutige Meisterkoch in solchen Dingen schon im Jahr 1973 keine Kompromisse kannte, kehrte er heim.

Das Arbeitsamt vermittelt Harald Wohlfahrt als Saucier zur Familie Schwank ins Baden-Badener „Stahlbad". Dort agiert ein überschaubares Küchenteam auf sehr hohem Niveau.

„Der Neue" wird freundlich aufgenommen und hat plötzlich alles, was er will: vollkommen neue Produkte. Heilbutt und Seezunge statt Kabeljau und Schellfisch. Gänseleber statt Leberknödel. „Hummer, Langusten, Kaviar – alles frisch vom Händler angeliefert, anfangs hab ich schier meinen Augen nicht getraut." Wenn Wohlfahrt jetzt davon erzählt, leuchten diese Augen. Denn das war endlich seine kulinarische Welt. Hier konnte er seine Träume verwirklichen.

Willy Schwank vom Restaurant
Stahlbad, 1965

Erstmals im zweiten Sternehimmel

Ein paar Wochen später erfuhr der Jungkoch von der Existenz des Guide Michelin. Kollege Karl Schwämmle von der kalten Küche löste Stirnrunzeln aus, als er seinem Nachbarn am Herd die Sache mit den Michelin-Sternen erläuterte, die es nur für wenige ausgezeichnete Häuser gibt und die anspruchsvollen Genussmenschen bei der Orientierung helfen sollen. Beiläufig erfuhr der Jungkoch auch noch, dass das „Stahlbad" mit zwei Sternen zu den absoluten Spitzenbetrieben im ganzen Lande zählte, ähnlich wie der „Erbprinz" in Karlsruhe. In Loffenau hatte ihm das aus nahe liegenden Gründen niemand gesagt. Warum ihm aber seine Ausbilder diese Information vorenthalten haben, darüber grübelt Harald Wohlfahrt mitunter heute noch.

Wohlfahrt hielt seinerzeit kurz inne und beschloss, ohne groß nachzudenken, dass er dem kulinarischen Hochgestirn so rasch wie möglich näher kommen wollte. Der Beschluss mündete in verschärften Drang nach Kreativität – soweit dies einem Jungkoch zusteht. Im „Stahlbad" kommt er dabei der Chefin ins Gehege. Denn der Chef, Willy Schwank, ist oft unterwegs zum Einkaufen und zollt auch seinen Gästen im Restaurant reichlich Aufmerksamkeit. In der Küche aber hat seine Gattin Elisabeth das Sagen. Von früh bis spät steht sie mit den Köchen am Herd und achtet mit Argusaugen darauf, dass ja alles so gemacht wird, wie sie es will.

„Die Saucen hat sie immer selbst gemacht, da hat sie sich überhaupt nicht reinreden lassen", erinnert sich Harald Wohlfahrt. Für seine Befreiung aus der Rolle des Zuschauers sorgt schließlich der Friseur, den Madame in schöner Regelmäßigkeit am Samstagvormittag besucht. Der Jungkoch nutzt die Gunst dieser zwei Stunden und stellt seine Chefin vor vollendete Tatsachen: Er kocht die Saucen klammheimlich exakt nach dem Vorbild von Elisabeth Schwank und präsentiert ihr das Resultat: „Chefin, ist es recht so?" Die probiert und nickt. Das ist die inoffizielle Erlaubnis für den rührigen Saucier, seiner Berufsbezeichnung endlich selbstständig Ehre machen zu dürfen. Schritt für Schritt nimmt Wohlfahrt das Heft in die Hand und entdeckt Tag für Tag lukullisches Neuland. Zum Beispiel Trüffel.

Trouble mit der Trüffel

„Daran erinnere ich mich noch ganz genau: Als ich zum ersten Mal im Leben Trüffel probiert habe, da hab ich mich geschüttelt. Dieser intensive Geruch und der erdige Geschmack – einfach schrecklich. Und dafür geben die Leute dann auch noch einen Haufen Geld aus." Das war damals alles andere als eine Offenbarung für den jungen Koch – kein Wunder eigentlich. Denn seinen Erstkontakt mit dem erlesenen Pilz hatte Wohlfahrt mit Ware aus kleinen Döschen, alles andere als frisch und kaum mit dem zu vergleichen, was in der Spitzengastronomie heute verarbeitet wird. „Trüffel", sagt er heute, „ist keine beliebige Zutat, sondern ein eigenständiger Star auf dem Teller. Ihr Aroma und ihr Geschmack sollen bei der Zubereitung im Mittelpunkt stehen. Man sollte regelrecht Ehrfurcht haben vor so einem Geschenk der Natur. Das ist man als Koch diesem tollen Produkt schuldig – und natürlich auch den Gästen, die damit ganz neue Erfahrungen machen können. Der Trüffel muss man sich nähern, man muss ihren Geschmack vorsichtig erkunden. Man muss den reinen Geschmack buchstäblich er-lernen, und man muss auch schlechte Trüffel probiert haben, um die guten davon unter-scheiden zu können. Außerdem kosten gute, frische Trüffel ja auch ein Heidengeld." Trüffelöl, mit dem mancher Koch seine preiswerten Gerichte aromatisiert, hat mit dem „reinen Geschmack" nicht viel zu tun und schon deshalb wird es in der „Schwarzwald-stube" erst gar nicht verwendet.

„Wie besessen" hat Harald Wohlfahrt im „Stahlbad" gearbeitet. Er hat Können und Wissen regelrecht eingesaugt und gespeichert. Küchenchef Willy Schwank lässt ihn gewähren und sein Zögling bedankt sich mit vollem Engagement. Bald erstellt er auch selbstständig die Bestandslisten. Sein Chef braucht nur noch telefonisch beim Händler zu ordern. Zusammen mit ihm dekoriert er die Schauvitrine, die Tag für Tag neu arrangiert wird, um den Gästen mit Hummer, Kaviar, Austern, Gänseleber und Terrinen Appetit zu machen.

Sterne im Sinn, Slavka im Herzen

Mit der Chefin dagegen ist er nicht immer einer Meinung. Wenn sie beispielsweise unter Zeitdruck ein Filetsteak flach klopft, damit es schneller gar wird, dann schüttelt er insgeheim den Kopf und lernt daraus, wie er es nicht machen wird – jetzt nicht und später erst recht nicht, wenn er einmal selbst der Chef ist. Denn Chef zu sein, das hat er sich schon damals auf dem Saucier-Posten in Baden vorgenommen: „Ich war nie einer, der sich bedingungslos unterordnet."

Aus heutiger Sicht waren die beiden Jahre im Zwei-Sterne-Haus „Stahlbad" für Harald Wohlfahrt ein großer Schritt nach vorne. Sein Interesse für die À-la-minute-Küche war geweckt. Die Sensibilität im Umgang mit frischen, wertvollen Produkten hatte sich ganz wesentlich verbessert. Er hatte gelernt, wie man kreativ und doch sorgfältig damit spielt. Er hatte sich wohlgefühlt in diesem guten Team. Deshalb ging er nach zwei Jahren „mit Wehmut im Herzen" und dem eigenen Sternehimmel im Sinn.

Im Herzen und im Sinn hatte er aber auch Slavka. In die hübsche Servicekraft hatte sich der Jungkoch schon auf dem Dobel verliebt. Sie war aus Kroatien in den Schwarzwald gekommen. Mit ihr war er jetzt zusammen und wollte mehr Zeit mit ihr verbringen. Da lag es nahe, eine Art Doppeljob zu finden, auch wenn das ganz und gar nicht einfach war. Wohlfahrt: „Ich war schon wählerisch damals mit meiner Arbeitsstelle. Ein Michelin-Stern musste es auf jeden Fall sein." Das junge Glück wurde dennoch bald fündig – ohne freilich zu ahnen, dass der erste Kontakt mit der „Traube Tonbach" zu einer privat wie beruflich derart dauerhaften Verbindung führen würde...

Wiesen, Wald und 430 Mittagessen

Das Hotel-Restaurant „Traube" im Baiersbronner Ortsteil Tonbach hatte so einen Stern und bald auch zwei neue tatendurstige Mitarbeiter. Zusammen mit seiner Slavka zog Harald Wohlfahrt im Frühjahr 1976 ins Personalhaus und sagt heute: „Das war schon eine Umstellung für ein junges Paar wie uns. In Baden-Baden konnte man ab und zu mal ausgehen oder einen Stadtbummel machen. In Tonbach gab's außer Wiesen, Wald und frischer Luft nicht viel – außer der ‚Traube' natürlich."

Dort machen sich die beiden mit Elan ans Werk. Aber Harald packt schon nach ein paar Wochen der Frust. Die heutige „Schwarzwaldstube" gab es damals noch nicht. Der Jungkoch, der sich ganz schön ans Zwei-Sterne-Niveau gewöhnt hatte, rührte nun in der Küche des À-la-carte-Restaurants die Saucen – als Chef auf diesem Posten zwar, aber ganz und gar nicht glücklich. Weitgehend unbeachtet vom Küchenchef leistete Wohlfahrt Tag für Tag ein gewaltiges Pensum ab. Im „Stahlbad" hatten acht Köche ganz individuell mit edelsten Zutaten für maximal 60 Gäste gekocht. In der „Traube" standen drei ausgebildete Köche auf ihren Posten, unterstützt von drei, vier Lehrlingen und zwei Hotelfachfrauen, die gerade die Küche als Ausbildungsstation absolvierten.

„Mein dritter Arbeitstag in Tonbach war ausgerechnet Ostersonntag. Da war die Hölle los. Zusammen haben wir 430 Mittagessen zubereitet, besser gesagt: rausgeworfen. Der Service hat um 11.30 Uhr angefangen und um 15.30 aufgehört. Es war die reinste Massenabfertigung – eine Dimension, die ich nicht einmal aus meinen Lehrbetrieb kannte. Dabei war ich hierher gekommen, um mich qualitativ weiterzuentwickeln und meine Kenntnisse weiter zu verfeinern." Für Wohlfahrt war das eine einzige Enttäuschung, und er war ja noch in der Probezeit.

Harald Wohlfahrt mit Wolf Brüter, Herausgeber des Gault Milliau als Harald Wohfahrt
"Koch des Jahres" wurde (1991)

Also probiert es Harald Wohlfahrt anderswo. Gute Kontakte hat er aus seiner Zeit in Baden-Baden zu „Brenners Parkhotel", einem noblen Haus mit einem Michelin-Stern für die Küchenleistung – fast ein Muss für jemanden, der in der deutschen Top-Hotellerie eine Rolle spielen will. Küchenchef Albert Kellners Name hat einen guten Klang unter anspruchsvollen Feinschmeckern. Mit in der gestandenen Brigade des Hauses ist Heinz Klinger, Autor des bis heute gebräuchlichen Standardwerks „Der junge Koch". Jeder einzelne Chef de Partie ist geprüfter Küchenmeister – Kompetenz, zu der man aufschaut. Wohlfahrt stellt sich vor, wird auch genommen und kann die Stelle doch nicht antreten, weil das Geld einfach nicht reicht: „400 Mark hätte ich damals verdient. Aber ein möbliertes Zimmer in Baden-Baden hätte damals schon 180 Mark gekostet. Außerhalb zu wohnen hätte keinen Sinn gemacht, weil ich ein eigenes Auto gebraucht hätte. Von daheim konnte ich keine finanzielle Unterstützung erwarten."

Schweren Herzens verzichtete der junge Mann auf die Rückkehr nach Baden-Baden und liebäugelte einmal mehr mit dem Gedanken an die Selbstständigkeit, der ihm bis heute nicht aus dem Kopf gegangen ist. Zu denen, die sich bedingungslos unterordnen, gehört er eben nicht, und wenn man Harald Wohlfahrt jetzt im „Plauderstübchen" der „Traube Tonbach" gegenüber sitzt, wandert sein Blick bei diesem Stichwort hinüber auf die andere Seite des Tals. Dann schließt er die Augen für einen Moment – und wechselt das Thema.

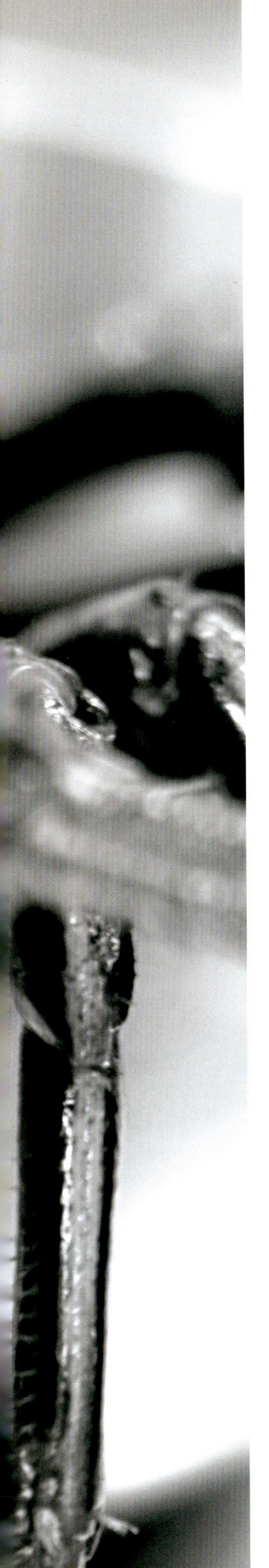

Frisch von der Leber weg

So ist er dann doch im schönen Tonbachtal geblieben, der junge Koch Harald Wohlfahrt – auch dank des Küchendirektors der „Traube". Werner Rawil kannte er schon von seiner Ausbildungszeit auf dem Dobel, weil dieser in einem benachbarten Hotel am Herd gestanden hatte. Nun nahm Rawil ihn unter seine Fittiche und der bisherige „Restaurant-Koch" Wohlfahrt konnte sich ausgiebig mit den klassischen Disziplinen der Hotelküche befassen, zum Beispiel Buffets aller Art. Rawil ließ seinen Chefsaucier gewähren, und der wagte sich bald aus der Deckung.

Sein erster Streich ist die Entdeckung der Gänseleberterrine im Tonbachtal. Das hat er in Baden-Baden bestens gelernt, und nun will er zeigen, was er kann. Werner Rawil und der Besitzer der damalige „Traube", Willi Finkbeiner, geben grünes Licht. Wohlfahrt bereitet die Terrine aus frischer Leber in kleinen Formen und präsentiert sie seinem Chef. Dessen Kommentar fällt knapp, aber deutlich aus: „Toll, das kommt auf die Karte." Das Rezept seiner „Gänseleber im Block getrüffelt" wird aufgeschrieben, die Delikatesse bekommt einen Stammplatz auf der Abendkarte und stößt bei den Gästen regelmäßig auf Wohlwollen.

Frisch von der Leber weg macht sich Wohlfahrt ans Werk, kocht Hummerkarkassen aus und bereitet feine Saucen, erfreut sich an der Arbeit mit edlem Fisch aus dem Atlantik. Das sind entscheidende Wochen und Monate für die Zukunft der „Traube". Die Küche beginnt, zweigleisig zu fahren und baut ihr Angebot für anspruchsvolle Feinschmecker aus. Chefsaucier Wohlfahrt macht einen guten Job und kann reichlich von dem, was er selbst schon weiß, an seine Mitarbeiter und an die Kollegen weitergeben. Aber zufrieden ist er damit nicht. Er will mehr erfahren – und er will mehr werden.

Finkbeiners weiser Entschluss

Zwei Jahre nach Wohlfahrts Einstieg in Tonbach kam die Wende in Gestalt von Klaus Besser, jenes legendären Gastronomiekenners und -kritikers, der „Bessers Gourmetbrief" und später „Bessers Gourmetjournal" herausgab. Er nahm Deutschlands gehobene Gastronomie unter die Lupe. Auch die „Traube Tonbach" entging nicht seiner Aufmerksamkeit. Besser testete und verglich die Karte mit dem internationalen Angebot. Ergebnis: Die „Traube" hatte Nachholbedarf. Zu einer Zeit, da sich die Feinschmecker- und Restaurant-kritiker-Szene in Deutschland gerade zu etablieren begann, tat Willi Finkbeiner genau das Richtige. Mit einem sehr erfolgreichen Hotelbetrieb im Rücken – damals lag die Bettenauslastung bei über 95 Prozent – beschloss er: „Wir richten ein Gourmetrestaurant ein und orientieren uns an französischen Vor-bildern wie Paul Bocuse, Paul Haeberlin oder Jean Troisgros."

Finkbeiners Neffe Heiner, heute Chef des Hauses, bekam den Auftrag, diesen Beschluss in die Tat umzusetzen. Er hatte nicht nur eine Ausbildung zum Küchenmeister abgeschlossen, sondern auch etliche respektable Sta-tionen hinter sich: das Hotel „Sommerberg" in Bad Wildbad zum Beispiel, „Brenners Parkhotel" in Baden-Baden, Franz Kellers „Schwarzer Adler" in Oberbergen am Kaiserstuhl und Eckart Witzigmanns „Tantris" in München.

Heiner Finkbeiner setzt Harald Wohlfahrt auf die Liste seiner Wunschkan-didaten für den Aufbau des Gourmetrestaurants. Der bittet zunächst um Be-denkzeit und liebäugelt einmal mehr mit dem Wechsel in einen anderen, schon hoch etablierten Spitzenbetrieb. Der Reiz, etwas Neues aufzubauen, gibt dann doch den Ausschlag für das „Gourmet-Experiment Traube".

Als Küchenchef wirbt Finkbeiner seinen Freund Wolfgang Staudenmaier im Münchner „Tantris" ab. Auch Eckbert Engelhardt vom Team der „Traube", der später im „Grauen Haus" in Oestrich-Winkel im Rheingau große Erfolge als Küchenchef feiert, ist mit von der Partie. Ein Auszubildender komplettiert das Gründungsteam.

Bald wird im großen Stil umgebaut. Die Terrasse zwischen dem Stammhaus und dem Haus Kohlwald wird überbaut und zur heutigen „Köhlerstube". Im frei gewordenen Bereich entsteht die „Schwarzwaldstube" mit ihrer fast zeit-losen, landschaftsnahen Eleganz im Ambiente und einem Panoramablick übers Tonbachtal, der bisweilen sogar von Harald Wohlfahrts kulinarischen Kreationen abzulenken vermag. Zwölf Tische finden hier Platz und die noble Ausstattung ist bald komplett, sodass das Gourmetrestaurant im Juni 1977 eröffnet werden kann.

Gastarbeiter in München

Während des Umbaus schickt Finkbeiner seine beiden Hoffnungsträger Engelhardt und Wohlfahrt noch rasch für ein halbes Jahr zu Witzigmann, um die Methoden der modernen französischen Küche zu studieren. Der noch junge Meister hat sich im „Tantris" zwei Michelin-Sterne erkocht und gilt als Deutschlands Shooting-Star am Herd. Wohlfahrt ist gierig auf Neues und sammelt Erkenntnisse: „Wir waren begeistert und haben unheimlich viel gelernt, obwohl ich mit meinem heutigen Kenntnisstand weiß, dass diese Küche bei aller Inspiration und Kreativität im Grunde genommen eher klassisch war. Einige Speisekarten aus jener Zeit habe ich aufgehoben. Da steht dann ‚Entrecote à la bordelaise' oder ‚Rinderfilet à la vilette', also mit Markscheiben belegt oder mit einer Rindermarkkruste mit geriebenem Weißbrot, Kräutern und Knoblauch."

Den beiden jungen Köchen von der „Traube Tonbach" hat sich im „Tantris" eine neue Welt erschlossen. Wohlfahrt: „Es war eine Welt der neuen Garnituren und der absoluten Präzision. Wir haben ausschließlich Top-Produkte in den Händen gehabt. Alles wurde tatsächlich à la minute gekocht, sogar jede Sauce. Und was uns noch sehr beeindruckt hat damals: Hier gab es eine unglaubliche Individualität für Köche und Gäste.

Eckart Witzigmann zu Gast bei
Harald Wohlfahrt 2001

In der Küche und im Service herrschte ein Höchstmaß an Konzentration. Das hat mich
derart fasziniert, dass ich vollkommen darin aufgegangen bin."

Harald Wohlfahrt fühlt sich im „Tantris" gefordert, und weil solche Herausforde-
rungen sein Lebenselixier sind, steht er erfolgreich seinen Mann in dieser Münchner
Musterbrigade. Im Umgang mit Produkten beispielsweise setzt Witzigmann dem, was
sich Wohlfahrt im „Stahlbad" angeeignet und in der „Traube" praktiziert hat, noch
eins drauf. Zu Zander, Forelle, Wels und Scholle kommen jetzt lebende Hummer und
Flusskrebse, frische Langustinos und Jakobsmuscheln in der Schale. „Witzigmann hat
alles bestellt. Jeden einzelnen Fisch hat er in die Hand genommen und sehr kritisch
begutachtet. Er hat nur das Beste genommen. Besonders akribisch war er beim Fisch.
Wenn der frisch ist, hat er klare Augen und rote Kiemen. Wenn man ihn sacht drückt,
ist er elastisch. Wenn der Reifeprozess fortgeschritten ist, zersetzt sich das Eiweiß und
man sieht die Druckstellen deutlich. So ein Produkt hatte bei Witzigmann nicht die
geringste Chance."

Treffen aller 3-Sterne Köche Europas im Plaza Athénée (Paris 2004)

Faible für Frankreich

Nach ein paar Monaten beim großen Witzigmann waren dem aufmerksamen Schüler Wohlfahrt viele neue Vorgänge in Fleisch und Blut übergegangen. Jetzt wusste er ganz genau, wie frisch aufgebrochene Jakobsmuscheln riechen und wie man Lachs perfekt filetiert. Er hatte sich, wie er heute sagt, „den damaligen Stand der Gourmetküche einverleibt". Seine Liebe zur feinen Küche nach französischem Vorbild hatte sich dabei noch verfestigt. Aus seiner Sicht ist sie schon immer etwas Besonderes gewesen. „Das liegt zum Teil an den französischen Produkten; die geografische Lage, das Klima und die Bodenbeschaffenheit – sie sorgen für einzigartige Geschmacksnuancen. Einen mindestens ebenso großen Beitrag leisten die Tradition und die Esskultur in Frankreich – für Italien gilt das übrigens genauso."

Mit Hochachtung erinnert sich Harald Wohlfahrt zum Beispiel an den Besuch des Restaurants „Le Grand Véfour" in Paris, das mehr als 250 Jahre alt ist. Dort steht alles unter Denkmalschutz, nichts darf verändert werden. Das Ambiente versetzt den Gast in ein anderes Zeitalter zurück und man staunt nicht schlecht, welchen Standard die Restauration in Frankreich schon damals gehabt hat. Vergleichbares sucht man hierzulande vergebens. In diesem Zusammenhang verweist Wohlfahrt gerne auf den Nestor der französischen Gastrosophie, Jean-Anthelme Brillat-Savarin, der 1826 das Buch „Physiologie des Geschmacks" herausgegeben hat, und erfreut sich an Aphorismen wie: „Die Tiere fressen, der Mensch isst, und nur der Mann des Geistes versteht es, das Essen zu genießen." Oder: „Ein echter Feinschmecker, der ein Rebhuhn verspeist hat, kann sagen, auf welchem Bein es zu schlafen pflegte." Das passt so recht zum Qualitätsfanatiker Harald Wohlfahrt.

Letzten Endes hat die Begeisterung für die französische Küchenkultur auch dazu geführt, dass der längst erwachsene Wohlfahrt noch einmal die Schulbank gedrückt hat. Um mehr verstehen zu können, ist er vier Semester lang „berufsbegleitend" zur Volkshochschule gegangen und hat seine französischen Sprachkenntnisse aufpoliert. Jetzt kann er mitreden.

Vom Start weg auf Erfolgskurs

Bei der Premiere der „Schwarzwaldstube" als Gourmetrestaurant sind alle Posten besetzt: Wolfgang Staudenmaier führt Regie und die kalte Küche, Eckbert Engelhart gibt den Saucier und Harald Wohlfahrt ist für die Fischküche verantwortlich. Die Spannung nähert sich dem Höhepunkt. Denn zur Eröffnung sind nicht nur Prominenz und Presse eingeladen, sondern auch zehn Drei-Sterne-Köche aus Frankreich, darunter auch der legendäre Paul Bocuse. „Die sollten für unsere Idee sozusagen moralisch Pate stehen", erklärt Wohlfahrt diesen kühnen Entschluss.

Den Herren der kulinarischen Hochkultur hat es offenbar geschmeckt, sie trugen die frohe Botschaft aus dem Schwarzwald ebenso hinaus in die Welt wie die Gourmetjournalisten und Tester. Das Team der „Schwarzwaldstube" legte einen Bilderbuchstart hin und bekam auf Anhieb noch im Jahr seiner Eröffnung seinen ersten Michelin-Stern. Der damalige Fischkoch Harald Wohlfahrt: „Im Prinzip war der Inhalt unserer Speisekarte ganz am Anfang fast ein Abbild des ‚Tantris'. Aber niemand hat sich damals ernsthaft daran gestört, dass die junge Mannschaft in Tonbach das zeigen wollte, was sie in München gelernt hatte. In Bedrängnis kamen vielmehr die Tester: Jetzt hatten sie das Phänomen von zwei Restaurants mit je einem Stern unter einem Dach zu bewerten, weil der Betrieb in der zuvor schon ausgezeichneten „Köhlerstube" unter der bewährten Leitung von Küchenchef Werner Rawil ja weiterlief.

Im Tonbachtal begannen die Verantwortlichen zu grübeln: Verliert die „Köhlerstube" jetzt vielleicht ihren Stern, weil ihr die „Schwarzwaldstube" den Rang abläuft? Das wäre ja nicht Sinn der Sache gewesen, schließlich hatte man nicht nur sehr viel Energie in das Projekt gesteckt, sondern auch eine Menge Geld in die Hand genommen. Spannende Wochen und Monate vergingen, in denen die Männer von der „Schwarzwaldstube" ihr Bestes gaben und, so Wohlfahrt in der Rückschau, „konstant auf sehr hohem Niveau" kochten.

Das Erscheinen des Guide Michelin 1978 bereitet allen Spekulationen ein spektakuläres Ende: Zwei Sterne stehen neben der „Schwarzwaldstube" – und die „Traube" jubelt über den sensationellen Aufstieg ihres Gourmetrestaurants. Man hat sich etabliert und spielt jetzt in der gleichen Liga wie das Münchner „Tantris", der legendäre „Erbprinz" in Ettlingen und der „Schwarze Adler" in Oberbergen. Wie soll man die Gefühle beschreiben? „Das ist wie der Aufstieg einer Fußballmannschaft von der Zweiten in die Erste Bundesliga."

HARALD WOHLFAHRTS
Kleines Degustationsmenü

Salat von gegrillten Sankt-Jakobsmuscheln,
provenzalischem Gemüse
und Olivenvinaigrette

***

Rotbarbenfilet in Safranbouillon,
mit Kartoffel-Korianderstampf,
Chilifäden und Sauce Rouille

***

Kompott vom Ochsenschwanz,
mit Rindermark und schwarzem Trüffel
an Trüffeljus

***

Käse vom Wagen

***

Gratinierte Gewürzorangen
mit Kastaniencrepes,
Apfelbeerkompott und Marvorenes

HARALD WOHLFAHRTS
Großes Degustationsmenü

Zweierlei von der Entenleber:
mit Feigen-Mandelchutney
sowie Apfel-Ingwerchutney

***

Gedämpfter Hummer
in Kokosnuss-Nage,
mit Chilifäden und asiatischem Gemüse

***

Nagelrochen-Flügel,
mit Kapern und Zitronenfilets gebraten,
an Balsamicoglace

***

Medaillons vom Hirschkalbsfilet,
mit Quitten-Rotweinkompott
und Rouennaisersauce

***

Käse vom Wagen

***

Moscovado-Savarin
mit Kaffee, Kardamonkrem
und Mangoeis

***

Geeister Tagetes-Cocktail,
mit Mirabellensorbet

Knochenarbeit am Kochkessel

Im Arbeitsalltag freilich hatte Sous-Chef Harald Wohlfahrt kaum Zeit zum Jubeln. Jetzt galt es, zwei Sterne zu verteidigen, und dabei standen mitunter erstaunliche Hindernisse im Weg. Da wurde sogar ein Kochkessel zum Zankapfel. In der seinerzeit zweigeteilten Küche war nicht sehr viel Platz und so stand das mächtige Gerät ob seiner gewaltigen Größe den Teams der „Köhlerstube" und der „Schwarzwaldstube" zur Verfügung – besser gesagt eben nicht zur Verfügung, wenn es so richtig drauf ankam. 40 Kilo Kalbsknochen fasste der Riesentopf, und die mussten zwei Tage köcheln für den Basisfond so mancher feinen Sauce. Es gab zwar eine Art „Belegungsplan" für diesen Kessel, aber in der Praxis lief das nicht reibungslos. Zwei Tage warten auf einen freien Topf? Für ein mit Sternen geschmücktes Küchenteam ist das schon eine Geduldsprobe. Und dann die Spülkräfte! Einmal nicht aufgepasst, schon landen ein paar Spritzer Spülmittel im Topf und der Schaum steht über dem Kalbsfonds wie die Schaumkrone über'm Pils.

Für Außenstehende sind das vielleicht Marginalien. Aber für das Präzisionssystem Küche sind sie wie Sand im Getriebe: Tagelang keine vernünftige Saucenstruktur – da kocht der Koch nicht nur am Herd. Auch mit dem gemeinsamen Zugriff auf die Gewürze ist es so eine Sache: „Stell dir vor, du richtest dir für ein bestimmtes Gericht alles ganz genau vor, weil es auf die Minute ankommt, und dann greifst du ins Leere. Dein verzweifelter Ruf ‚Wer hat mein Curry' verhallt zwischen Schulterzucken und Grinsen. Das nervt ganz schön." Wohlfahrt kann sich auch 30 Jahre danach noch echauffieren, obwohl die „Schwarzwaldstube" wenig später ihr eigenes Küchenreich bekam.

Mitunter sind es heute noch Kleinigkeiten, die den sonst so souveränen Meisterkoch in Rage versetzen. Da wirft ein Jungkoch achtlos den Anschnitt vom Kalbsfilet weg – ein Stück vom Besten. „Reine Verschwendung, damit kann man wirklich noch was anfangen", fängt sich der Koch einen Tadel vom Chef. Ein anderer lässt den Wasserhahn aufgedreht, obwohl er kein Wasser mehr braucht. Prompt wird er gerüffelt. Oder Fingerabdrücke auf dem frisch dekorierten Teller: Über Wohlfahrts Nase stehen zwei steile Falten als Alarmzeichen für alle, die seine Allergie gegen derlei Nachlässigkeit nicht ernst nehmen: „Wir sind hier doch im Restaurant und nicht bei Sherlock Holmes!"

Lebenskünstler ist, wer seinen Sommer
so erlebt, dass er ihm noch den Winter wärmt.

Alfred Polgar

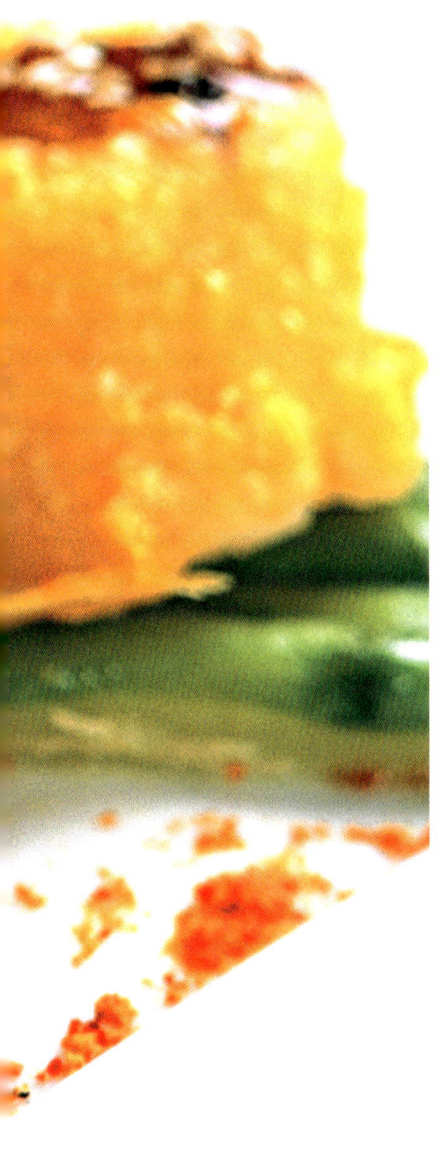

Croustillants von Langustinen

und Sankt-
Jacobsmuscheln mit
Koriandersauce

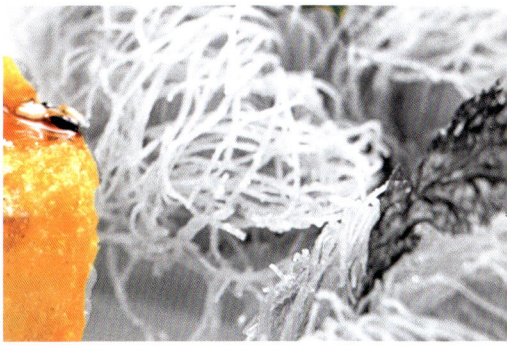

Zubereitung

1. Vorbereitung: Die ausgebrochenen Langustinen und Sankt-Jacobsmuscheln mit Salz, Pfeffer, je 1 Msp. Fünf-Gewürze-Pulver und Currypulver würzen. Die Langustinen mit Katafiteigfäden umwickeln. Das Tempuramehl mit Wasser zu einem glatten Teig verrühren und mit den restlichen Gewürzen und Salz und Pfeffer abschmecken.

2. Garnitur: Den Spargel in ca. 3 cm lange Stäbchen schneiden. Die Staudensellerie schälen und in 4 cm lange Stäbchen schneiden. Das Gemüse einzeln in Salzwasser blanchieren und in Eiswasser rasch abkühlen. Die Gemüsestäbchen in Butter erhitzen. Mit Salz und Pfeffer abschmecken. Sojasauce mit Ingwersirup und den Sesamkörnern verrühren. Korianderblätter in der Fritteuse bei 150 °C kurz frittieren, auf Küchenkrepp abtropfen lassen und mit Salz und Pfeffer leicht würzen.

3. Koriandersauce: Eigelb nach und nach mit dem Öl verrühren. Dann die restlichen Zutaten hinzufügen und die Sauce mit Salz und Pfeffer abschmecken.

4. Meeresfrüchte: Die Jacobsmuscheln durch den Tempurateig ziehen und in der Fritteuse bei 180 °C 2 Minuten backen. Die Langustinen ebenfalls bei 180 °C 2 Minuten in der Fritteuse backen und beides auf Küchenkrepp abtropfen lassen. Mit Salz und Pfeffer leicht nachwürzen.

5. Anrichten: Von den Gemüsestäbchen je 8 Stück auf Tellern anrichten. Die Jacobsmuscheln und die Langustinen darauf setzen. Mit den Korianderblättern dekorieren und die Soja-Ingwer-Sesam-Sauce über das Ganze verteilen. Mit dem Hummerrogen bestreuen. Die Koriandersauce extra reichen und servieren.

Croustillants von Langustinen

und Sankt-Jacobsmuscheln mit Koriandersauce

Die Zutaten

Für 4 Personen
8 Sankt-Jacobsmuscheln,
ausgebrochen
8 Langustinen,
ausgebrochen
1 Pck. Katafiteig
2 Msp. chinesisches
Fünf-Gewürze-Pulver
2 Msp. Currypulver
100 g Tempuramehl
100 ml Wasser
Salz
Pfeffer aus der Mühle

Garnitur:
4 Stangen grüner Spargel
2 Stangen Staudensellerie
20 g Butter
1 Msp. chinesisches
Fünf-Gewürze-Pulver
8 Korianderblätter
5 g schwarzer Sesam
5 g angerösteter
weißer Sesam
4 EL Sojasauce
1 EL Ingwersirup
1 TL Hummerrogen

Koriandersauce:
1 Eigelb
50 ml Traubenkernöl
20 ml geröstetes Sesamöl
1 kl. Bund Koriander,
klein gehackt
30 g kandierter Ingwer,
klein gehackt
1 Knoblauchzehe,
fein gerieben
50 ml Sojasauce
10 ml Ingwersirup
Salz
Pfeffer aus der Mühle

Mild geräuchertes Rindermark

mit zweierlei Kaviar
auf Kartoffelblini und
Limettenblättersauce

Zubereitung

1. Rindermark: Rindermark mit Salz und Pfeffer würzen. Räucherofen auf 80 °C erhitzen. Räuchermehl mit Lorbeerblatt, zerdrückten Wacholderbeeren und Thymian vermischen und in die Räucherschale geben. Gewürztes Rindermark auf das Ofengitter setzen. 5 Minuten bei 80 °C räuchern. Danach Räuchergerät abschalten und kurz öffnen, um den Dampf abzulassen.

2. Limettenblättersauce: Die Schalotten fein würfeln und in Butter anschwitzen. Grob geschnittenes Zitronengras und 8 Kaffirlimetten-Blätter hinzufügen. Mit Wein ablöschen und einkochen lassen. Mit Rinderfond auffüllen und auf ein Drittel der Menge einkochen lassen. Mit Salz, Pfeffer und Cayennepfeffer abschmecken und durch ein Sieb passieren. Sud mit kalter Butter abbinden und den Zitronensaft hinzufügen. Kurz vor dem Servieren die Schlagsahne unterheben und mit den restlichen, in feine Streifen geschnittenen Kaffirlimetten-Blättern bestreuen.

3. Kartoffelblini: Kartoffelwürfel in Salzwasser weich kochen, abschütten und gut abdämpfen lassen. Im Küchenmixer mit dem Ei, dem Eiweiß und der Weizenstärke fein pürieren und durch ein feines Haarsieb passieren. Mit Salz, Pfeffer und Muskat abschmecken. In einer tiefen, beschichteten Pfanne die geklärte Butter erhitzen. Mit Hilfe eines Ausstechrings vier Kartoffelblini in die Pfanne geben und auf beiden Seiten goldgelb backen.

4. Kartoffelstampf: Kartoffelwürfel in Salzwasser weich kochen, abschütten und gut ausdämpfen lassen. Mit einem Kartoffelstampfer vollständig zerdrücken und Butter und Olivenöl unterheben. Mit Salz und Pfeffer abschmecken und zum Schluss die Schnittlauchröllchen dazugeben.

5. Anrichten: Kartoffelblini auf 4 Teller verteilen. Darauf das Rindermark setzen und zuerst mit dem Kartoffelstampf und dann mit den zweierlei Kaviar anrichten. Mit der heißen Sauce umgießen und mit Schnittlauchspitzen garniert servieren.

Mild geräuchertes Rindermark

mit zweierlei Kaviar auf Kartoffelblini
und Limettenblättersauce

Die Zutaten

Für 4 Personen
4 ausgelöste Stück
Rindermark à 50 g
Salz, Pfeffer aus der Mühle

Zum Räuchern:
50 g Räuchermehl (Buche)
6 Wacholderbeeren
1 Thymianzweig
1 Lorbeerblatt

Limettenblättersauce:
80 g Schalotten
80 g Butter
2 Stangen Zitronengras
½ l trockener Riesling
½ l Rinderfond
10 Kaffirlimetten-Blätter
1 EL geschlagene Sahne (gehäuft)
80 g eiskalte Butter
Saft einer Zitrone
Salz, Pfeffer und Cayennepfeffer

Blini:
350 g geschälte Kartoffeln
1 Ei
1 Eiweiß
1 EL Weizenstärkemehl
Salz, Pfeffer aus der Mühle
Muskat
80 g geklärte Butter

Kartoffelstampf:
150 g geschälte Kartoffeln
1 Bund Schnittlauch
80 g Butter
1 EL Olivenöl
Salz, Pfeffer aus der Mühle

Garnitur:
Schnittlauchspitzen
40 g Imperialkaviar
40 g Lachskaviar

Geschmorte Kalbsbäckchen

mit Croustillant
vom Kalbsbries und
Steinpilze an Trüffeljus

Zubereitung

1. Vorbereitung: Backofen auf 200 °C vorheizen. Kalbsbäckchen mit Salz und Pfeffer würzen und in einem Bräter im Öl von allen Seiten heiß anbraten. Öl abgießen, Gemüsewürfel, Kräuter, Schalotten, Knoblauch und Pfeffer zugeben. Im Ofen 10 Minuten anrösten, dabei öfter umrühren. Tomatenmark zugeben, weitere 10 Minuten rösten. Mit Madeira und Wein ablöschen, Flüssigkeit einkochen, dann mit Kalbsfond auffüllen. Das Fleisch zugedeckt 1 Stunde schmoren lassen. Kalbsbäckchen herausnehmen und Sauce durch ein Sieb passieren, entfetten und mit Salz und Pfeffer würzen.

2. Trüffelsauce: Gehackte Trüffel in der schäumenden Butter anschwitzen. Mit Madeira, Portwein, Cognac und Trüffelsaft ablöschen und fast vollständig einkochen lassen. Die Sauce von den Kalbsbäckchen dazugeben und um ein Drittel einkochen lassen. Abschmecken.

3. Farce: Kalbsfleisch mit Salz und Pfeffer würzen und im Mixer fein pürieren. Zuerst das Eiweiß, dann die Sahne zugeben und zu einer homogenen Farce verarbeiten. Dann durch ein feines Sieb streichen. Trüffel in der aufgeschäumten Butter 30 Sekunden anschwitzen und erkalten lassen. Das Ganze mit der Farce vermischen.

4. Croustillant vom Bries: Kalbsfond mit Weißwein zum Kochen bringen, leicht salzen und das Bries einlegen. Einmal zum Kochen bringen und dann 15 Minuten ziehen lassen. Danach erkalten lassen. Das Bries mit den Fingern in kleine Klümpchen zupfen, mit der Farce vermischen und abschmecken. Die Kartoffel schälen, in sehr feine Streifen schneiden und mit Küchenpapier trocken tupfen. Kartoffelstreifen mit Eiweiß und Stärke vermischen. Von der Briesmasse jeweils 30 g in Kartoffelstreifen wickeln. In der Fritteuse in 150 °C heißem Öl 3 Minuten backen. Auf Küchenkrepp abtropfen lassen und mit Salz würzen.

5. Anrichten: Steinpilze mit Schalotten und Gemüsewürfeln in Butter andünsten. Erwärmte Kalbsbäckchen auf Teller verteilen und mit heißer Trüffelsauce überziehen. Je ein Croustillant darüber geben, mit Steinpilzen und Gemüse garnieren und servieren.

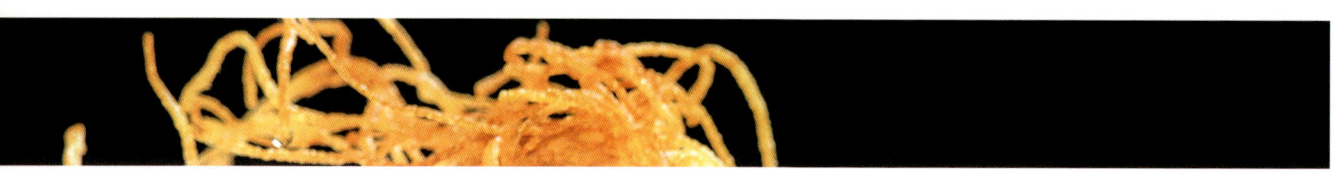

Geschmorte Kalbsbäckchen

mit Croustillant vom Kalbsbries
und Steinpilze an Trüffeljus

Die Zutaten

Für 4 Personen
12 Kalbsbäckchen,
sauber pariert
Salz
Pfeffer aus der Mühle
4 EL Öl
je 100 g gewürfelte
Karotten, Lauch
und Staudensellerie
1 Thymianzweig
1 Lorbeerblatt
200 g Schalotten
2 Knoblauchzehen
je 5 schwarze und
weiße Pfefferkörner
1 EL Tomatenmark
250 ml Madeira
150 ml Weißwein
2 l heller Kalbsfond

Trüffelsauce:
1 EL Butter
40 g schwarze Trüffel,
fein gehackt
3 EL Madeira
3 EL Portwein
1 EL Cognac
3 EL Trüffelsaft
Salz
Pfeffer aus der Mühle

Farce:
50 g Kalbsrücken-
fleisch, gewürfelt und
gut gekühlt
1 Eiweiß
3 EL Sahne
1 EL Butter
1 EL Trüffel,
fein gehackt
Salz
Pfeffer aus der Mühle

Croustillant vom Bries:
100 g Kalbsbries,
gehäutet und
6 Std. gewässert
500 ml heller Kalbsfond
100 ml Weißwein
1 Kartoffel
1 Eiweiß
1 TL Maisstärke
Öl zum Frittieren

Garnitur:
Steinpilze, geviertelt
Schalotten
Gemüsewürfel,
blanchiert
Butter

Kürbiskernparfait

mit Himbeeren
in Balsamico-
Kürbisölsauce

Zubereitung

1. Kürbiskernparfait: Eigelb verrühren. Öl wie für eine Mayonnaise nach und nach unterrühren. Vanillemark und Salz dazugeben. Mit Eiweiß und Zucker eine Baisermasse herstellen. Ein Drittel davon unter die Kürbiskernöl-Mischung rühren. Geschlagene Sahne unterheben, restliches Baiser und fein gehackte Kürbiskerne untermischen. Die Masse in ein Behältnis 2,5 cm hoch eingießen. Das Parfait frieren lassen. Beim Anrichte Ecken von ca. 5 x 5 cm schneiden (2 Stück pro Person).

2. Kristallisierte Kürbiskerne: Zucker und Wasser in einem Topf zum Kochen bringen. Kürbiskerne hinzufügen und unter Rühren zum Kristallisieren bringen. Ganz leicht karamellisieren lassen. Kürbiskerne auf einem Blech verteilen und abkühlen lassen.

3. Dunkler Hippenteig: Alle Zutaten zu einer glatten Masse verrühren, ohne sie zum Schäumen zu bringen. Die Masse fein auf eine Silpatmatte streichen und mit einem Kamm Streifen ziehen. Danach mit dem Finger quer durch die Streifen Ecken von ca. 6 x 6 cm ziehen. Im Ofen bei 180 °C ca. 6 Minuten backen.

4. Himbeeren in Balsamico-Kürbiskernöl-Sauce: Himbeermark, Öl, Essig und Läuterzucker mit dem Schneebesen vermischen. Mit einem Löffel, Sauce in Streifen auf einem Teller verteilen und die Himbeeren darauf anrichten.

5. Anrichten: Wie auf dem Foto anrichten.

Kürbiskernparfait

mit Himbeeren in Balsamico-Kürbisöl-Sauce

Die Zutaten

Für 8 Personen
Kürbiskernparfait:
80 g Eigelb
60 g Kürbiskernöl
Mark von 1 Vanilleschote
1 Prise Salz
90 g Eiweiß
170 g Zucker
320 g geschlagene Sahne
80 g kristallisierte
Kürbiskerne

Kristallisierte
Kürbiskerne:
50 g Zucker
25 g Wasser
125 g Kürbiskerne

Dunkler Hippenteig:
50 g Puderzucker
50 g weiche Butter
40 g Mehl
10 g Kakaopulver
50 g Eiweiß

Balsamico-Kürbiskernöl-
Sauce:
60 g Himbeermark
30 g Kürbiskernöl
20 g Balsamicoessig
30 g Läuterzucker
(15 g Zucker + 15 g Was-
ser zum Kochen bringen)

Frische Himbeeren

Brodeln in Töpfen und Köpfen

Im ersten Jahr des zweiten Sterns begann es in der Gourmetküche nicht nur in den Töpfen zu brodeln. Veränderungen kündigten sich an – zuerst ganz sacht. Harald Wohlfahrts Drang zum Weiterkommen meldete sich bald im Arbeitsalltag zurück und er begann insgeheim Ausschau zu halten nach weiteren persönlichen Entwicklungsmöglichkeiten. Im Blickpunkt hatte bis dahin unangefochten Wolfgang Staudenmaier gestanden. Aber jetzt zeichnen sich Veränderungen ab.

Als Erster schert Wohlfahrts Weggefährte Eckbert Engelhardt aus und verlässt die „Traube Tonbach" Richtung Wertheim, wo er fortan in den ebenfalls mit zwei Michelin-Sternen ausgezeichneten „Schweizer Stuben" am Herd steht. Wohlfahrt grübelt weiter und behält die Entwicklung im Auge. Die Harmonie zwischen dem Chef des Hauses, Heiner Finkbeiner, und dem Chef der Gourmetküche, Wolfgang Staudenmaier, scheint nicht mehr ganz ungestört. „Heute wage ich zu sagen, dass der Erfolg für uns alle fast zu schnell gekommen ist. Die beiden Verantwortlichen waren damals noch keine 30 Jahre alt. Aber man braucht doch sehr viel Erfahrung, Selbstbewusstsein und Autorität, um in dieser Liga souverän mitspielen zu können. Diese Erfahrung hat damals wohl gefehlt", meint Wohlfahrt nach mehr als 30 erfahrungsreichen Jahren in der Koch-Elite.

Als Staudenmaier krank wird, läuft der Betrieb in der „Schwarzwaldstube" reibungslos weiter. Das Team bringt die gewohnte Spitzenleistung, und als der Chef nach vier Wochen zurückkommt, hat die Mannschaft gewisse Probleme mit dessen Führungsstil.

Auch hier hat Wohlfahrt dazugelernt: „Als Chef muss man aufpassen: Wenn man den vollen Einsatz von allen erwartet, darf man mit Anerkennung für besondere Leistungen seiner Mitarbeiter nicht zu sparsam umgehen. In der Küche ist es Gang und Gäbe, dass man zum Chef geht, wenn man etwas fertig gekocht hat, dass man ihn probieren lässt und auf seinen Kommentar wartet. Auch wenn der Erfolgsdruck enorm ist – man darf als Chef einfach nicht an allem schon aus Prinzip etwas zu verbessern haben. ‚Gut gemacht' muss auch zum Repertoire gehören."

Das geht an die Nieren

Dann erzählt Wohlfahrt das Beispiel mit dem Nierenragout. „Wer so etwas hundert Mal gekocht hat, der weiß irgendwann, wie es geht – sollte man denken. Aber das ist nicht immer so. Dem Chef fehlt immer noch ein wenig Pfeffer oder ein Schluck Cognac oder sonst etwas. Und dem Jungkoch fehlt irgendwann die Geduld. Eines Tages stellt er den Geschmackssinn seines Chefs auf die Probe, geht an seinen Platz zurück und tut eben nicht, wie ihm geheißen: Aus der Mühle kommt kein Pfeffer und der Daumen hält den Hals der Cognac-Flasche fest verschlossen. Das (unveränderte) Ergebnis präsentiert er dem Chef, und der sagt prompt: ‚Perfekt. So muss es sein und jetzt kann es raus.‘ Da kann man mit der Zeit schon mal die Geduld verlieren.“

Um solchen Geduldsproben zu entgehen, entschied sich Harald Wohlfahrt im Januar 1980 für den Besuch der Küchenmeisterschule in Baden-Baden. „Die hatte einen sehr guten Ruf und mein Elternhaus stand nur 14 Kilometer weit entfernt. Da konnte ich essen und schlafen“, berichtet Wohlfahrt. Der war mit seinem überschaubaren Gehalt immer noch knapp bei Kasse und musste die Fortbildung aus eigener Tasche bezahlen. Die Meisterschule war eine gewaltige Umstellung für den 24-Jährigen, dessen Schulzeit immerhin schon zehn Jahre zurücklag. „Betriebswirtschaft, Menschenführung, Arbeitsrecht – da sind plötzlich ganz andere Themen auf mich zugekommen. Aber ich hab mich reingekniet.“

Die große Chance

Während Wohlfahrt in Baden-Baden büffelt, kommt es in Tonbach zu einer dramatischen Entwicklung: Staudenmaier ist aus dem Urlaub zurückgekommen, hat noch zwei Tage gearbeitet und dann seine Kündigung auf den Tisch gelegt. Erdmann Degler, damals Direktor des „Kur- und Sporthotels Traube", greift zum Hörer, ruft Wohlfahrt an und bittet ihn zu einem Gespräch. Als der an seinem freien Wochenende nach Tonbach kommt, konfrontiert ihn Degler mit der veränderten Situation – und bietet ihm die Stelle des Küchenchefs der „Schwarzwaldstube" an. Wohlfahrts Vision von der beruflichen Zukunft ist in greifbare Nähe gerückt. Wochen vorher war er noch im Rohbau der neuen Küche für das Gourmetrestaurant herumgelaufen und hatte sich vorgestellt, wie es denn wäre, wenn er hier das Sagen hätte, wenn das seine Welt würde, wo er seine Träume vom perfekten Kochen verwirklichen könnte.

Wohlfahrt sagte zu und kam nur noch einmal ins Schleudern, als ihm der Direktor einen auf drei Jahre befristeten Chefkoch-Vertrag vorlegte. Die optimale Basis sah er darin nicht. Er dachte gar nicht daran, vorzeitig das Handtuch zu werfen wie sein Vorgänger. „So will ich nicht antreten", beharrte Wohlfahrt auf seinen eigenen Vorstellungen von vertrauensvoller Zusammenarbeit – und bekam seinen unbefristeten Vertrag und die maximale Motivation. Mit frischem Elan schloss er die Meisterschule in Baden-Baden ab und heiratete bald darauf seine Slavka.

Staunen über Alain Chapel

Es ist Sommer 1980, und der Küchenmeister und designierte Küchenchef geht noch einmal in die Schule – dieses Mal bei einem ganz Großen der Zunft: Alain Chapel. Familie Finkbeiner schickt ihn für ein paar Wochen nach Mionnay bei Lyon, wo der Maître residiert. Wohlfahrt erlebt einen genialen, aber im Umgang nicht gerade einfachen Menschen und ein Kontrastprogramm: viel von der klassischen Küche, aber andere Arbeitstechniken, andere Methoden als etwa bei Witzigmann in München. Das zum Beispiel hat sich der Eleve ganz genau gemerkt: „Wer in der klassischen Küche eine Entengalantine gemacht hat, der hat sie in ein Tuch eingerollt und dann im Wasser pochiert. Chapel dagegen hat sie roh gelassen, auf geröstete Geflügelknochen gesetzt und wieder in den Ofen geschoben. Das hat den Eigengeschmack der Galantine von außen intensiviert. Das war faszinierend und ich habe es mit vielen anderen wertvollen Erkenntnissen im Kopf gespeichert."

Bestätigung fürs erste eigene Team

Zurück im Schwarzwald fand sich der junge Ehemann und Küchenchef rasch in der Rolle des Mittlers zwischen Personal und Geschäftsleitung wieder: Bedürfnisse von unten, Weisungen von oben. Jetzt konnte der Küchenmeister sein frisch erworbenes Wissen praktisch anwenden: Personalführung, Hygienevorschriften, Lebensmittelrecht und, nicht zu vergessen, die Produktion auf höchst möglichem Niveau. Das nahm den jungen Mann ganz schön in Anspruch. Die meisten Köche hatten während seiner Zeit auf der Meisterschule zu anderen Restaurants gewechselt. Wohlfahrt machte sich daran, sein eigenes Profil herauszuarbeiten und ein neues, leistungsfähiges Team zusammenzustellen. Mit Tausend Ideen im Kopf ging er ans Werk.

Die Gäste belohnten den Einsatz der Mannschaft. Die „Schwarzwaldstube" war gut gebucht, und Harald Wohlfahrt fieberte dem Erscheinen der ersten Guide Michelin-Ausgabe „nach Staudenmaier" entgegen. Die Tester bestätigten das hohe Niveau des Gourmetrestaurants auch unter neuer Leitung mit zwei Sternen. Wohlfahrt freute sich, aber restlos zufrieden mit dem Erreichten war er nicht. Denn in München hatte sich etwas getan, das ihn über Jahre hinweg nicht ruhen lassen sollte: Die „Aubergine" hatte als erstes Restaurant in Deutschland den dritten Stern bekommen. Den wollte Wohlfahrt auch für die „Schwarzwaldstube".

Champagner und 1000 Mark

Zunächst arbeitet er an seinem Renommee und nimmt an einer Reihe von Kochwett-
bewerben teil – mit Erfolg, wie beispielsweise der zweite Platz beim großen Concours
Laurent-Perrier beweist. Wohlfahrt hat die Auszeichnung schon bei der ersten Teilnahme für sein Silvestermenü erhalten. In Kreisen der Spitzengastronomie hat der
Preis des berühmten Champagner-Hauses einen hohen Stellenwert. Wohlfahrt freut
sich über eine schöne Trophäe mit Bergkristall und Sterlingsilber und den damals
ansehnlichen Geldpreis von 1000 Mark. Um sie in Empfang zu nehmen, darf er sich
mit seiner frisch Vermählten ein paar schöne Tage in der Champagne machen, Einla-
dungen zu Menüs im Zwei- und Drei-Sterne-Bereich inklusive.

Von wegen Unschuldslamm!

Für einen Newcomer war das ein außergewöhnlicher Erfolg. Denn in der Jury saßen Gastronomen mit großem Format: Eckart Witzigmann, Henry Levy und Günter Scherrer zum Beispiel. Wohlfahrt fühlte sich auf dem richtigen Weg. Er trieb sich und seine Brigade zur permanenten Hochleistung. Die Ruhe, mit der er heute zu Werke geht, lag ihm damals fern. Das äußerte sich unter anderem in einer unglaublich schnelllebigen Speisekarte. Der Maître: „Jede Woche haben wir eine neue Karte zusammengestellt. Wir wollten mit aller Macht kreativ sein, wollten zeigen, was in uns steckt." Wie sich später herausstellte legte das Team ein derart hohes Tempo vor, dass es im Jahr darauf nur ganz knapp am dritten Michelin-Stern vorbeischrammte. Milchlamm trug die Schuld. Den deutschen Testern war es „im Geschmack nicht ausdrucksstark genug"; den französischen Kollegen war das Produkt als solches „nicht erlesen genug". Aber sonst sei alles perfekt gewesen. „Ich habe ihn noch nicht, aber ich kann ihn bekommen" – Wohlfahrts Motivation bekam zusätzlichen Schub.

Für ihn und sein Team folgte die Zeit der Reife. Mit Präzision und Ausdauer pflegten sie ihren eigenen Stil, und der Chef ließ seine Mitarbeiter oft auch am konzeptionellen Teil des Projekts „Schwarzwaldstube" teilhaben – wohl wissend, was ein harmonisches Arbeitsumfeld mit Erfolgserlebnissen für jeden Einzelnen für die Gesamtleistung wert ist: „Ein Fehler ist ja kein Weltuntergang, und wer mit Angst antritt, der bleibt stets gehemmt. Die Arbeit muss, bei aller Konzentration und Perfektion, auch richtig Spaß machen." Wohlfahrt nahm sich auch selbst in die Pflicht und erlag trotz seines bemerkenswerten Aufstiegs nicht der Versuchung, sich vom aufkommenden kulinarischen Show-Business vereinnahmen zu lassen. Sein Platz war in seiner Küche: „Wenn wir 280 Tage im Jahr geöffnet hatten, war ich 278 Tage da."

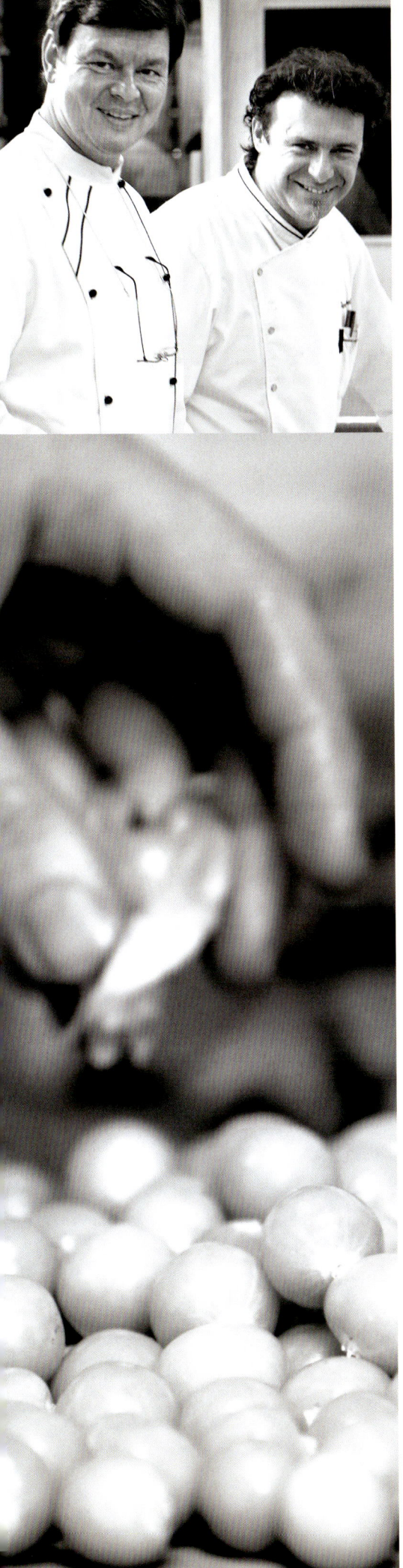

Patissiers und Lebenskünstler

Oft genug kam es zu heiklen Situationen wie dieser noch in Wohlfahrts frühen Chef-Jahren: Der Patissier steigt von einem Tag auf den anderen aus, und das Gourmetrestaurant bekommt rasch einen Koch aus der Kurhotelküche als Ersatz, nur damit der Posten besetzt ist. „Von Patisserie hatte der überhaupt keine Ahnung. Da ist halt meine Frau eingesprungen. Zusammen mit Slavka habe ich nach dem Mittagsgeschäft während der ‚Zimmerstunde', also wenn die anderen Pause hatten, Feingebäck hergestellt und Pralinen dekoriert. Die Gäste erwarten solche feinen Kleinigkeiten, und sie interessieren sich überhaupt nicht dafür, ob ein Patissier da ist oder nicht."

Zwischenzeitig war das Verhältnis zwischen Küchenchef Wohlfahrt und dem Berufsstand der Patissiers leicht gespannt. „Sie sind halt nicht nur Künstler; viele von ihnen sind auch eine Art Lebenskünstler. Vielleicht ist der viele Zucker dran schuld." Wohlfahrt lächelt mal wieder spitzbübisch und lehnt sich entspannt zurück. Denn die Zeiten haben sich geändert: Wer in der „Schwarzwaldstube" mehr als zehn Jahre lang einen Meister-Patissier wie den Elsässer Pierre Lingelser an seiner Seite hat, braucht sich um Kreativität und Zuverlässigkeit in diesem Bereich keine Sorgen zu machen.

Slavka und die Wunschkinder

Die zweite Hälfte der 1980er Jahre steht für Wohlfahrt auch im Zeichen der Familie und des privaten Aufbaus. Schon 1978 hatte er daheim in Loffenau ein Haus gebaut, in das Slavka und er aber nie einzogen. Sie hatten ja die buchstäblich nahe liegende Wohnung im Personalhaus der „Traube Tonbach". Sechs Tage pro Woche haben die beiden damals gearbeitet – er in der Küche, sie im Service; und sie wollten beide eine „richtige Familie". Weiterer Stress war programmiert, aber Wohlfahrt blieb gelassen: „Auf Slavka ist hundert Prozent Verlass. Sie kennt die berufliche Belastung aus eigener Erfahrung in- und auswendig. Sie hält mir den Rücken frei. Auf sie kann ich bauen, und daran hat sich bis heute nichts geändert."

Also baute das Ehepaar, um wirklich ein Zuhause und viel Platz für die Familie zu haben, in Tonbach noch ein Haus – mit dem Auto zwei Minuten und per pedes gerade eine Viertelstunde von der „Traube" entfernt. Slavka und Harald Wohlfahrt nahmen die Sache mit der Familie wirklich ernst: 1983 kam Sohn Andreas auf die Welt, zwei Jahre später kam Michael und 1987 Tanja. Wohlfahrt strahlt übers ganze Gesicht: „Alles Wunschkinder – und mein dritter Stern, das war damals die kleine Tanja. Solche Gefühle kann dir selbst der Guide Michelin nicht geben."

Der Maître schmort

Die Tester vom Guide lassen Harald Wohlfahrt schmoren, und er liebäugelt insgeheim wieder mal mit dem Thema „Selbstständigkeit". Aber Slavka rät zur Vorsicht. Sicherheit für die Familie ist ihr wichtiger als das Risiko. „Also habe ich das Unternehmertum, das in mir steckt, auf die ‚Schwarzwaldstube' übertragen", sagt Wohlfahrt heute – und: „Ich habe immer aus Leidenschaft gekocht und keineswegs nur wegen der Sterne."

„Unternehmertum" ist in der Sterne-Gastronomie in der Tat keine Nebensache. Wohlfahrt: „Wer nur die besten Produkte verwenden will, muss kalkulieren können. Das ist heute wichtiger denn je. Aber Willy und Heiner Finkbeiner haben mir bei der Verwirklichung meiner Ideen nie im Weg gestanden. Sie haben nie groß nachgerechnet, ob ich statt zwei Kilo weiße Trüffel nicht besser nur ein Kilo bestellt hätte oder statt drei Kilo Kaviar nur zwei. Finkbeiners haben gemerkt, dass die Gäste hoch zufrieden sind und das auch weitersagen." Die „Schwarzwaldstube" hatte sich rasch zu einem Werbeträger für das ganze Haus entwickelt.

Die späten 1980er Jahre waren die Zeit, in der sich Wohlfahrt intensiv mit den Biografien großer französischer Küchenchefs beschäftigt. Das besänftigt seine Ungeduld. Denn er stellt fest, dass auch die „ganz Großen" im Nachbarland in jungen Jahren zunächst vergebens nach dem dritten Stern gegriffen hatten. Paul Bocuse war 40 Jahre alt, Paul Haeberlin noch ein bisschen älter, als die ersehnte Auszeichnung kam. „Anfangs war meine Anspannung enorm gewachsen. Den Druck hier vom Haus konnte man fast körperlich spüren. Ich habe das mit maximalem Engagement kompensiert und immer gesagt: ‚Wartet ab, das kommt schon noch, und überseht nicht die Leistung, die in den beiden Sternen steckt, die wir schon haben'."

Samstag, 10.30 Uhr, Sternenzeit

An einem Donnerstag im November 1992 klingelt das Telefon im Büro. Die Direktion Michelin in Karlsruhe will einen Termin mit Heiner Finkbeiner und Harald Wohlfahrt für den darauf folgenden Samstag. Top oder Flop? Das ist so kurz vor dem Erscheinen des neuen Guide die bange Frage in der „Traube Tonbach". Dann ist es endlich so weit: Samstag, 10.30 Uhr. Die beiden Herren vom Guide Michelin sitzen mit Heiner Finkbeiner im „Plauderstübchen" vor dem Eingang zur „Schwarzwaldstube". Wohlfahrt wird dazugebeten und sieht, dass der Patron Tränen in den Augen hat. Sekunden später weiß er, dass es Freudentränen sind: „Herzlichen Glückwunsch, Sie haben den dritten Stern. Am Montag können Sie es im neuen Guide Michelin nachlesen."

Es ist wie eine Erlösung für die ganze Mannschaft, die Freude ist riesengroß. Aber Vollprofi Wohlfahrt jubelt mit Kalkül: „Stell dir vor, du hast bis zur Veröffentlichung dieser Nachricht nur noch zwei Tage und musst dich jetzt auf ein Publikum einstellen, das noch anspruchsvoller ist. Was für eine Verantwortung", auch die höchste Dekoration bringt den Meisterkoch nicht aus der Fassung. Was hat er empfunden? „Dankbarkeit gegenüber allen, die an diesem Erfolg mitgewirkt haben und die Verpflichtung, dieses Vertrauen zu rechtfertigen." Das ist wieder einmal typisch Wohlfahrt: Selbst wenn er begeistert ist, flippt er nicht aus. Aber niemand glaubt im Ernst, dass ihn das kalt gelassen hat. Jetzt hat die „Schwarzwaldstube" in allen wichtigen Gourmetführern die Höchstbewertung. Harald Wohlfahrt darf sich zu den 30 besten Köchen der Welt zählen. Noch vor seinem 40. Geburtstag ist er „reif" geworden für drei Sterne im Guide Michelin, 19,5 Punkte im Gault Millau, drei Kochmützen im Varta-Führer, fünf „F" im Feinschmecker, fünf Löffel im Aral Schlemmeratlas, 5 Hauben im Bertelsmann Guide. Zwischen Glückwunschtelegrammen und Blumenbouquets stellt er sich auf das neue Leben ein – und hat einmal mehr keine Zeit, sich den Erfolg zu Kopfe steigen zu lassen.

So lässt sich der Erfolg genießen

„Für die Brigade hatte der dritte Stern eine gewaltige Schubwirkung", erinnert er sich an die Tage nach dem Bekanntwerden der Auszeichnung. Jahrelang hatten sie darauf hingearbeitet und immer wieder einen Dämpfer bekommen. Jetzt können sie frei aufkochen und haben tatsächlich alle Hände voll zu tun. Denn auch die letzten Skeptiker geben ihren Widerstand auf, und die Reservierungen nehmen auch unter der Woche und für den Mittagstisch schlagartig zu. Besonders gefragt: Seeigelgratin mit Kammuscheln. Blätterteigschnitte mit Taubenbrustscheiben, Gänseleber und Trüffelsauce. Gefüllte Lachsröllchen mit Störmousse und Kaviar. Das waren die Empfehlungen des Guide Michelin, und die blieben natürlich auf der Karte. Überhaupt: „Schlagartig geändert hat sich damals nichts in unserem Programm. Es wäre ja auch töricht gewesen, womöglich genau das zu streichen, wofür man gerade die höchste Auszeichnung bekommen hat", sagt Wohlfahrt und lässt die Gäste seinen Erfolg genießen.

Lachs mit Lakritze

Veränderung um jeden Preis ist ohnehin nicht Harald Wohlfahrts Sache. Er fühlt sich eher wohl in der Rolle des gewissenhaften und kritischen Beobachters. Wohlfahrt, der Eigenbrötler? Da braust er auf: „Ein Miesmacher bin ich nicht, nur weil ich nicht alles gut finde, was mancher Kollege so tut. Nehmen wir doch mal Heston Blumenthal in seinem ‚Fat Duck' in London. Der Mann ist irgendwie verrückt. Er ist eine Art Popstar der Experimentalküche, und ich habe dort Lachs mit Lakritze gegessen. Das erschließt sich wirklich nicht jedem Gaumen. Es ist ziemlich wild, aber ohne solche wilden Kompositionen wäre die Gourmetküche doch viel ärmer. Für mich war bei diesem Besuch die Gänseleber entscheidend, nie zuvor habe ich eine bessere gegessen, jeden Bissen spüre ich heute noch auf der Zunge. Das ist doch Klasse!" Respekt geht stets vor Neid beim Schwarzwald-Maître. Man sieht es ihm an: Er gönnt dem verrückten Kerl in England den Erfolg von ganzem Herzen. Denn er selbst ist ganz anders – kein Vergleich.

Auch die Welt des spanischen Molekularkochs Ferran Adrià, dessen Gast im legendären Restaurant „El Bulli" an der Costa Brava er war, erschließt sich dem Schwarzwälder Harald Wohlfahrt nur bedingt. „Es ist ganz anders als bei Blumenthal, aber im Prinzip haben beide aus meiner Sicht ein Problem: Sie sind auf extrem sensible und geschmackserfahrene Gäste förmlich angewiesen. Wenn es ihnen nur um den Event geht, kann das auch mit einer Enttäuschung enden. Wer mit Entenzungen, Entenhirn oder Kutteln vom Huhn konfrontiert wird, muss schon viel Mut und Verständnis fürs Laborkochen mitbringen. Bei uns ist so etwas nicht zu machen, und ich fände es schade, wenn ein Teil der Gäste nach dem Essen unzufrieden wäre, weil er den Sinn und die Details einer solchen Inszenierung nicht verstanden hätte."

Wohlfahrt ist vorsichtig: „Ferrans Geleenudeln zum Beispiel sind genial. Er macht sie aus Agar-Agar. Man darf sie aber nur bis 40 Grad erhitzen. Um mögliche Keime abzutöten braucht man höhere Temperaturen. Genauso habe ich meine Zweifel am massiven Gebrauch von Stickstoff, weil ich nicht weiß, ob das der Gesundheit meiner Gäste zuträglich ist. Wir haben zwar auch eine Espuma-Flasche in der Küche, aber sie kommt wirklich nur selten zum Einsatz für ganz bestimmte Schäumchen und Saucen." Trotz solcher Zweifel spricht Wohlfahrt den Molekularköchen nicht ihre Existenzberechtigung ab. Aus seiner Sicht haben sie der jüngeren Kochkunst viele neue Impulse gegeben: „Das sind Avantgardisten und Erneuerer, die sich ganz bewusst exponieren. Sie provozieren ja auch. Da ist es kein Wunder, dass sie auch auf Widerstand stoßen. Aber wenn das alle machen würden, dann wäre es ja langweilig."

Fernsehköche und Fastfood

Harald Wohlfahrt ist kein Entertainer. Deshalb ist er auch kein Fernsehkoch geworden, der schnelle Tipps und Tricks für Hobbyköche übers Massenmedium verbreitet; was nicht bedeutet, dass er das ganze Genre komplett ablehnt. Dem Einsatz von TV-Stars wie Jamie Oliver oder Tim Mälzer sei es schließlich mit zu verdanken, dass Millionen Menschen dazu angeregt werden, sich mit dem Thema zu beschäftigen, und dass Kochen am Beginn des dritten Jahrtausends einen neuen Stellenwert hat. Von der alltäglichen Nahrungszubereitung wird es zum Bestandteil der Gesellschaftskultur. Kochen macht den Menschen Spaß und kann durchaus zum gesellschaftlichen Ereignis werden, wenn man diese Freude mit Freunden teilt. Das freut auch den Meisterkoch: „Selbst kochen bewahrt die Leute davor, immer weiter in den achtlosen Konsum von konfektionierten Fertigprodukten abzugleiten – und das ist doch ein großer Fortschritt."

Überraschend ratlos steht er dem Thema „Fastfood" gegenüber: „Dafür habe ich keinen Blick. Aber ich bin auch keine moralische Instanz, die mit erhobenem Zeigefinger gegen Burger und Bouletten wettert. Es ist nur schade, wenn die Menschen gedankenlos immer das Gleiche essen. Was geht ihnen an schönen Erlebnissen, an Abwechslung und an Lebensgefühl verloren!" Sein erster und nach eigenen Angaben letzter Besuch in einem Fastfood-Restaurant liegt schon etliche Jahre zurück. Er war damals spätabends mit Kollegen unterwegs, die noch rasch eine Kleinigkeit zu sich nehmen wollten. Tragisch daran: Sie hatten an diesem Tag gemeinsam zu Mittag gegessen – ausgerechnet in Haeberlins „Auberge de l'Ill" im Elsass. Keine Chance also für Cheeseburger & Co...

Wolkenkratzer und Ikonen

Es sind nicht nur fremde Küchen, die Harald Wohlfahrt interessieren, wenn er in der Welt unterwegs ist. Moderne Architektur zum Beispiel fasziniert den Schwarzwälder in jüngster Zeit zunehmend. Wenn er über New York plaudert, dann weiß man nicht, was ihn mehr begeistert hat: das kulinarische Angebot der Metropole oder die Wolkenkratzer. Unverhohlen bewundert er das Werk von Architekten, die solche Bauwerke planen und entstehen lassen.

Die „Schwarzwaldstube" ist Kontrastprogramm dagegen. Optisch hat sich seit Eröffnung des Restaurants nicht sehr viel verändert – Farben und Muster vielleicht, aber die Substanz ist geblieben, wie sie von Anfang an war. Das gilt im Wesentlichen auch für andere spitzengastronomische Institutionen in der Baiersbronner Nachbarschaft: Schreiner, Schnitzer, Schmiede und Polsterer haben ganze Arbeit geleistet – von Purismus keine Spur. Man gibt sich konservativ, elegant und grundsolide, was das Ambiente betrifft. Wohlfahrt grübelt schon das eine oder andere Mal darüber, ob das dritte Jahrtausend nicht doch eine tiefer greifende Veränderung verlangt, mit dem Ergebnis: „Keiner weiß wirklich, was zu tun wäre. Ich hab' schon eine internationale Gruppe von Architekten als Gäste hier gehabt. Die haben sich auch ihre Gedanken gemacht. Aber am Ende hieß es doch immer: Am besten lassen, wie es ist." Wer legt schon aus freien Stücken bei einer Ikone Hand an? Und wer denkt schon an Umbauarbeiten, wenn ihm Lukullus an einem seiner Lieblingsplätze auf Erden lacht?

Die kulinarische Symbiose

Zu den Leuten, die sich zurücklehnen, wenn sie als Erster durchs Ziel gegangen sind, gehört Harald Wohlfahrt nicht. Schließlich wird der Titel Jahr für Jahr neu vergeben, und er ist ein professioneller Dauerläufer. Das hält ihn seither an der Spitze und gibt ihm reichlich Gelegenheit, sein Verhältnis zu den Testern zu überdenken. Mit Kommentaren hält er sich bescheiden zurück, aber es ist keine falsche Bescheidenheit: „Was wäre ich, wenn es die Tester und die Gourmetführer nicht gäbe? Wenn niemand Punkte vergibt, kann es auch keinen Ersten geben. Die Tester haben mich letzten Endes dahin gebracht, wo ich jetzt stehe", sagt er mit einem Lächeln, das weder Siegesgewissheit ausstrahlt noch die Nachdenklichkeit dessen, der ständig überprüft wird. Es ist eine Symbiose geworden zwischen dem Meisterkoch und denen, die seine Kreationen beurteilen (und durchaus auch bewundern).

Das Thema ist diffizil, obwohl es Wohlfahrt von Anfang an „gut gehabt hat": Der erste und der zweite Stern für die „Schwarzwaldstube" wurden ohne Zögern vergeben. Der Gault Millau stieg in seiner ersten Ausgabe 1981 gleich mit 16 Punkten ein – Tendenz steigend. Auch der Varta-Führer und der Aral-Schlemmer-Atlas zollten der aufstrebenden Gourmetküche in Tonbach von Anfang an Aufmerksamkeit und Anerkennung. Gleich in seinem ersten Jahr als Küchenchef kam Wohlfahrt mit seinem „Tournedo Rossini" auf die Titelseite des „Feinschmecker"-Magazins, die Tester gaben ihm fünf „F" und machten ihn später zum „Koch des Jahres".

Symbole des Wettbewerbs

Die Vergabe von Sternen, Punkten, Bestecken oder Mützen ist nicht zuletzt eine publizistische Initialzündung: Zeitungen und Zeitschriften berichten in hoher Auflage darüber und versorgen ein Millionenpublikum mit Namen und Nachrichten aus der Szene. So macht Harald Wohlfahrt jahrzehntelang systematisch Schlagzeilen, gibt Hunderte von Interviews. Gesammelt hat er sie zwar nicht, aber gefreut hat er sich doch jedes Mal: „Mit der Zeit hat sich in Deutschland ein neues Bewusstsein für gutes Essen entwickelt, eine Gourmet-Klientel hat sich herausgebildet. Jede Menge Neuentdeckungen sind bekannt geworden. Talente, die sich anstrengen, werden von den Testern in der Regel belohnt. Das alles nützt dem ganzen Wirtschaftszweig: Konkurrenz belebt das Geschäft, und der Wettbewerb hat unserem Geschäft stets gut getan."

Wohlfahrt ist sich inne, dass es „die objektive Restaurantkritik" eigentlich nicht geben kann: „Jeder Mensch hat seine Vorlieben und empfindet subjektiv. Das kann man ja nicht ganz abschalten, wenn man ein Restaurant betritt." Für faire und konstruktive Kritik aus den Reihen der schreibenden Zunft ist der Meisterkoch immer offen. Weder Ignoranz noch Empfindlichkeit sollten das Verhältnis zu den Test-Essern bestimmen: „Wer Gourmetkritiker als lästig empfindet oder Angst hat vor ihrem Besuch, der hat entweder die falsche Grundeinstellung zu diesem Thema oder er hat etwas zu verbergen – oder beides. Wenn allerdings jemand von der schreibenden Zukunft nörgelt und sich bei der Frage nach dem Warum herauswindet nach dem Motto: ‚Ich bin doch kein Unternehmensberater' – dann verstehe ich den Ärger mancher Kollegen durchaus. So etwas bringt ja keinen der Beteiligten weiter."

Es gibt Spitzenköche, die den Krempel hingeschmissen haben und jetzt „einfach kochen, was Spaß macht" – ohne den ganzen Stress mit der Perfektion. Andere haben den Verlust eines Sterns nicht verkraftet und sind daran verzweifelt – bis hin zum Selbstmord. „Natürlich kenne ich diese Geschichten, die ja auch in den Zeitungen stehen. Aber wenn man mehr weiß über die Hintergründe, dann gibt es meist wichtigere Gründe für solche extremen Schritte als die Herabstufung in einem Gourmetführer. Oft geben private oder finanzielle Probleme den Ausschlag für solche Verzweiflungstaten." So beurteilt Wohlfahrt diesen Aspekt der Gastro-Szene.

Ihm selbst ist derlei noch nie widerfahren. Aber die Frage „Was wäre, wenn...?" beschäftigt ihn doch: „Der Verlust des dritten Michelin-Sterns wäre so eine Situation, in der ich noch einmal ernsthaft über eine berufliche Veränderung nachdenken würde. Dann wäre ich ja plötzlich wieder in der Defensive." Man bemerkt es sofort: Diese Vorstellung schmeckt dem Mann mit der Nummer eins gar nicht.

Der Gast, das gut bekannte Wesen

Viel lieber beschäftigt sich Harald Wohlfahrt mit einem seiner Lieblingsthemen: den Gästen. Das war am Anfang seiner Karriere anders. Da hat der Koch und Meister sein Refugium nur selten verlassen. Für Kundenkontakte war in erster Linie der Service zuständig. Das ist zwar immer noch so, aber Wohlfahrt ist seinen Gästen im Lauf der Jahre immer näher gekommen. Er zeigt sich gerne im Restaurant, und auch das ist typisch für den Vollprofi, dem Eitelkeit ein Fremdwort zu sein scheint: „Ich geh nicht von Tisch zu Tisch, um die Honneurs zu machen und das Lob abzusahnen. Ich freue mich, wenn es den Gästen gefallen hat. Denn wenn sie rundherum zufrieden sind, dann erzählen sie es weiter und kommen wieder. Zu dieser Rundum-Zufriedenheit gehört aber auf jeden Fall, dass man Kritik loswird. Ich nehme jeden Hinweis ernst. Am liebsten ist es mir, wenn es zu einem Dialog ohne Vorbehalte kommt. Davon haben alle Beteiligten das meiste. Der persönliche Kontakt zu den Gästen ist längst fester Bestandteil meines Berufes. Deshalb habe ich mich auf Dauer auch nicht mit der Rolle des Küchenchefs allein begnügt und leite die komplette ‚Schwarzwaldstube‘, also auch das Restaurant. Beide zusammen sind eine von vielen Abteilungen der ‚Traube Tonbach‘ und ich darf mich zu Recht mit dem Titel ‚Abteilungsleiter‘ schmücken." Wohlfahrt unterdrückt erfolglos ein Grinsen.

Werden Prominente bevorzugt behandelt? Gibt es so etwas wie Lampenfieber, wenn man für einen ganz berühmten Zeitgenossen kocht? Da sagt Harald Wohlfahrt ganz spontan: „Jeder Genießer bringt seine eigene Prominenz mit." Dieser Satz steht zunächst einmal im Raum und darf dann gedeutet werden. Die Feststellung klingt wie ein Artikel aus dem gastronomischen Grundgesetz und sagt etwa das: Vor dem perfekten Koch sind alle gleich. Wer einen Tisch Wochen oder Monate im Voraus bucht, von weit her anreist und eine Menge Geld bezahlt für das ‚Erlebnis Schwarzwaldstube‘, der darf niemals anders behandelt werden als ein Prominenter. So viel zu Wohlfahrts kulinarischem Demokratieverständnis. Und die Sache mit dem Lampenfieber? „Das hält sich in Grenzen nach so vielen Jahren Berufserfahrung. Wenn du dann noch weißt, dass auf deine Mannschaft Verlass ist, kann ja kaum etwas schiefgehen. Und in Verbindung mit dem Thema ‚Prominenz‘ kann ich nur sagen: Wir betrachten jeden, der bei uns mit Verstand und Aufmerksamkeit ein Menü verspeist, als eine Art Tester. Deshalb stehen wir jedem gegenüber gleichermaßen in der Pflicht, ob prominent oder nicht."

Das Wort gilt auch für nicht alltägliche Bestellungen. Wenn die genussfrohen Eltern ihren Dreikäsehoch mit ins Restaurant nehmen, dann bekommt der auf Wunsch durchaus sein „Schnitzel mit Pommes". Das Schnitzel wird mit professioneller Hingabe zubereitet. „Nur die Pommes holen wir aus der Hotelküche", sagt Wohlfahrt, „und den Ketchup gibt's auch dazu. Aber auf der Rechnung erscheint das später nicht, wir sind doch nicht kleinkariert..."

Der Gast ist zwar König in der „Schwarzwaldstube", aber jeden Wunsch kann ihm die Küche nicht erfüllen. Was beim profanen Schnitzel für den Nachwuchs kein Problem darstellt, kann bei edlen Produkten schon mal zum Problem werden – zum Beispiel bei der gebratenen Gänseleber. Da findet längst nicht jede Stopfleber Gnade unter den Augen des Meister: „Aus französischer Stopfleber zum Beispiel lassen sich die schönsten Terrinen machen. Aber beim Braten wird sie auch bei größter Sorgfalt innen zu weich und zerläuft, wenn man sie anschneidet. So etwas verträgt sich nicht mit meinem Qualitätsanspruch. Da haben wir früher Produkten aus Israel den Vorzug gegeben, die ein bisschen fester sind. Nur: Dort ist das Gänsestopfen jetzt nicht mehr erlaubt und man findet kaum mehr die optimale Konsistenz zum Braten. Dann rate ich den Gästen, besonders wenn sie länger im Voraus ein Menü planen, aus Überzeugung von dieser Bestellung ab und schlage lieber Alternativen vor." Im Essenziellen macht der Maître keine Kompromisse.

Der Frühling ist zwar schön,
doch wenn der Herbst nicht wär,
wär zwar das Auge satt,
der Magen aber leer.

Friedrich von Logau

Dreierlei von Steinpilzen

mit altem Balsamico

Zubereitung

1. Gegrillte Steinpilze: Die Steinpilze gründlich putzen, die äußere Haut der Stiele abschaben, unter fließendem, kaltem Wasser kurz waschen und mit Küchenkrepp trocknen. Olivenöl in einer Grillpfanne erhitzen, Pilze und Kräuter hinzufügen. Im vorgeheizten Backofen (200 °C) ca. 5 Minuten garen, dabei öfter wenden. Pilze aus der Pfanne nehmen, den Bratansatz mit Balsamicoessig und Kalbsfond ablöschen und auf die Hälfte der Flüssigkeit einreduzieren lassen. Beim Anrichten den Balsamicojus um die Pilze gießen.

2. Gefüllte Steinpilze: Die Steinpilze wie oben beschrieben putzen, waschen und abtrocknen. Zwei der geputzten Pilze der Länge nach halbieren und vorsichtig aushöhlen. Restliche Pilze in feine Würfel schneiden. Olivenöl in einer Pfanne erhitzen und ausgehöhlte Pilze auf beiden Seiten ca. 1,5 Minuten sanft braten. Mit Salz und Pfeffer aus der Mühle würzen. Pilze aus der Pfanne nehmen. Die Steinpilzwürfel mit dem Speck und dem Knoblauch ebenfalls anschwitzen. Zum Schluss die fein gehackte Petersilie dazugeben und mit Salz und Pfeffer aus der Mühle würzen. Die Steinpilzwürfel in die vorbereiteten Pilze füllen und im vorgeheizten Backofen 2 Minuten erhitzen. Den Bratensatz mit dem Geflügelfond und Balsamicoessig ablöschen, dickflüssig einreduzieren und beim Anrichten um die Pilze gießen.

3. Roh marinierte Steinpilze: Geputzte Steinpilzköpfe in dünne Scheiben schneiden und auf einem Teller anrichten. Leicht mit Salz und Pfeffer würzen. Die Zutaten für die Vinaigrette verrühren und mit Salz und Pfeffer würzen. Die Vinaigrette tropfenweise über die Steinpilzscheiben träufeln.

4. Anrichten: Die drei Steinpilzvarianten auf jeweils einem Teller nebeneinander anrichten.

Dreierlei von Steinpilzen

mit altem Balsamico

Die Zutaten

Für 4 Personen
Gegrillte Steinpilze:
12 kleine Steinpilze à
30–40 g
40 ml Olivenöl
2 Thymianzweige
2 Rosmarinzweige
1 Knoblauchzehe
20 ml alter
Balsamicoessig
4 EL brauner Kalbsfond
Salz
Pfeffer aus der Mühle

Gefüllte Steinpilze:
4 mittelgroße
Steinpilze à 50 g
1 EL fein gehackte
Blattpetersilie
1 fein gewürfelte
Knoblauchzehe
2 EL fein gewürfelten,
mild geräucherten
Bauchspeck
40 ml Olivenöl
40 ml Geflügelfond
20 ml Balsamicoessig
Salz
Pfeffer aus der Mühle

Roh marinierte Steinpilze:
4 schöne
Steinpilzköpfe à 40 g
20 ml alten
Balsamicoessig
10 ml Olivenöl
10 ml Traubenkernöl
10 ml Walnussöl
Salz
Pfeffer aus der Mühle

Gedämpfter Hummer

in Safranbouillon
mit Kartoffel-
Korianderstampf,
Chilifäden und
Safranrouille

Zubereitung

1. Vorbereitung: Staudensellerie, Fenchel und Lauch waschen und grob würfeln. Die Würfel zusammen mit den Knoblauchzehen, Kümmel, Pfefferkörnern, Lorbeerblatt, Thymianzweig und Wasser in einem Topf zum Kochen bringen. Mit Meersalz und Pfeffer würzen und die Hummer in die kochende Gemüsebrühe geben. Darin 7 Minuten ziehen lassen und danach in Eiswasser abkühlen lassen. Die Hummerscheren und -schwänze für die Bouillon ausbrechen.

2. Safranbouillon: Ausgebrochene Hummerschalen in heißem Olivenöl kurz anbraten. Die Fenchelknolle, Staudensellerie, Karotte und Lauch grob würfeln. Die Gemüsewürfel, halbierten Tomaten, Knoblauch, Sternanis, Thymian und Dillzweige, Curry, Paprikapulver und Safranfäden hinzufügen. Mit Weißwein, Noilly Prat und Pernod ablöschen und mit dem Fischfond aufgießen. Eine halbe Stunde bei schwacher Hitze köcheln lassen. Den Fond mit Salz und Cayennepfeffer abschmecken, durch ein feines Haarsieb gießen und erkalten lassen. Merlanfilet durch die grobe Scheibe des Fleischwolfes drehen. In einem Topf Fischfleisch mit dem Eiweiß und den gewürfelten Champignons gut vermischen. Den Weißwein hinzufügen und den kalten Hummerfond aufgießen. Langsam zum Kochen bringen und dabei öfter vorsichtig umrühren. Nach dem Aufkochen nicht mehr rühren. Eine halbe Stunde leicht köcheln lassen. Die Bouillon vorsichtig durch ein Passiertuch gießen. Eventuell mit Salz und Cayennepfeffer nachschmecken. Die Tomaten blanchieren, enthäuten, entkernen und würfeln. In kochendem Salzwasser kurz blanchieren und in Eiswasser abkühlen. Schnittlauch in feine Röllchen und den Koriander klein schneiden. Kurz vor dem Servieren das gesamte Gemüse und die Kräuter in die heiße Bouillon geben.

3. Kartoffel-Korianderstampf: Kartoffelwürfel in Salzwasser weich kochen, abschütten und gut ausdampfen lassen. Mit dem Kartoffelstampfer zerdrücken, Butter und Olivenöl unterheben. Mit Salz und Pfeffer abschmecken. Den Koriander fein pürieren und kurz vor dem Servieren unterheben.

4. Safranrouille: Den Weißwein mit den Safranfäden fast gänzlich einkochen und erkalten lassen. Eigelb und Senf hinzufügen, tropfenweise das Olivenöl unterrühren. Zum Schluss mit fein geriebenem Knoblauch, Salz, Pfeffer, Cayennepfeffer und Zitronensaft abschmecken.

5. Anrichten: Aus den gekochten, ausgebrochenen Hummerschwänzen den Darm entfernen und die Schwänze dann in Stücke schneiden. Die Scheren halbieren. Den aufgeschnittenen Hummer in einem Suppenteller anrichten. Im heißen Backofen kurz erwärmen. Mit dem kochenden Safranbouillon aufgießen. Je drei Nocken Kartoffel-Korianderstampf in die Bouillon geben, darauf etwas Safranrouille setzen und zum Schluss mit den Chilifäden garnieren.

Gedämpfter Hummer

in Safranbouillon mit Kartoffel-Korianderstampf, Chilifäden und Safranrouille

Die Zutaten

Für 4 Personen

4 bretonische Hummer
à 500 g

5 l Wasser

200 g Staudensellerie

200 g Fenchel

200 g Lauch

10 Knoblauchzehen

25 g Kümmel

15 g Pfefferkörner

1 Lorbeerblatt

1 Thymianzweig

1 Bund Dill

Cayennepfeffer

Meersalz

Bouillon:

ausgebrochene
Hummerschalen

1 kg Merlanfilet

100 g Eiweiß

200 g Champignons,
gewürfelt

200 g Schalotten

200 g Staudensellerie

200 g Karotten

200 g Lauch

200 g Tomaten, halbiert

150 g Tomatenmark

150 g Fenchel

5 Thymianzweige

10 Dillzweige

30 g Knoblauchzehen

3 g Sternanis

5 g Salz

1 TL Currypulver

1 TL Paprikapulver

15 Safranfäden

50 ml Pernod

250 ml Weißwein

100 ml Noilly Prat

4 l Fischfond

Meersalz

Pfeffer aus der Mühle

eventuell Cayennepfeffer

Kartoffel-Korianderstampf:

200 g Kartoffeln, geschält

1 Bund Koriander

100 g Butter

1 EL Olivenöl

Salz

Pfeffer aus der Mühle

Einlage:

2 Tomaten

60 g Karotten

60 g Lauch

60 g Staudensellerie

1 Bund Schnittlauch

10 Korianderblättchen

10 g Chilifäden

Safranrouille:

50 ml Weißwein

Saft einer halben Zitrone

2 g Safranfäden

1 Eigelb

1 Msp. Senf

1 Msp. Knoblauch,
fein gerieben

150 ml Olivenöl

Salz

Pfeffer aus der Mühle

Cayennepfeffer

Lackierte Taube

mit Tannenhonig
und schwarzem
Pfeffer an Ingwer-
Limonensauce

Zubereitung

1. **Eingelegte Limonenjulienne:** Zucker leicht karamellisieren lassen, Butter hinzufügen und mit Weißwein ablöschen. Langsam köcheln lassen, bis der Karamell sich auflöst. Limonenschale mit einem Juliennereißer abziehen. Limonenstreifen blanchieren, abgießen und in den Sirup geben. 1 Tag durchziehen lassen.

2. **Lack:** Ingwersirup, Sojasauce, Honig, Balsamicoessig und Pfeffer vermischen, erhitzen und auf die Hälfte der Flüssigkeit einkochen lassen. Ingwer schälen, fein reiben und in den Sirup geben. Leicht mit Salz würzen.

3. **Garnitur:** Lauchzwiebeln in 3 cm lange Stücke schneiden, in Salzwasser kurz blanchieren und in Eiswasser rasch abkühlen. Je drei Lauchzwiebeln mit Schnittlauch zusammenbinden. Zucker in einer beschichteten Pfanne hell karamellisieren und mit Balsamicoessig ablöschen. 20 g Butter und den Geflügelfond hinzufügen. Danach die Lauchzwiebeln dazugeben, etwa 3 Minuten glasieren und mit Salz und Pfeffer würzen.

4. **Taube:** Taubenkeulen abtrennen und Taubenbrüste auslösen. Taubenbrüste beidseitig salzen und pfeffern. Öl in einer Pfanne erhitzen und die Taubenbrüste auf der Hautseite kross braten. Danach umdrehen und weitere 2 Minuten braten. Taubenbrüste aus der Pfanne nehmen und warm gestellt 10 Minuten ruhen lassen.

5. **Sauce:** Bratfett abgießen und in der Pfanne den Honig und den Ingwersirup erhitzen. Mit Limonensaft ablöschen und fast gänzlich einkochen lassen. Mit dem Taubenfond und der Sojasauce auffüllen und erneut auf die Hälfte einkochen lassen. Dann die Butter einrühren und mit Salz und Pfeffer würzen.

6. **Apfelspieße:** Äpfel schälen und mit einem Olivenausstecher 12 Stücke ausstechen. Rosmarinzweige bis auf das Ende, welches als Dekor bleibt, entnadeln. Auf 5 cm Länge kürzen und je drei Apfelstücke auf die Spieße stecken. Butter schmelzen, Zucker darin unter Rühren leicht karamellisieren und mit Weißwein ablöschen. Apfelspieße im Sirup 5 – 8 Minuten glasieren. Dabei öfter mit Flüssigkeit übergießen.

7. **Anrichten:** Taubenbrüste auf der Hautseite kräftig mit dem Lack bepinseln und unter dem heißen Grill 2 Minuten karamellisieren. Auf einem vorgewärmten Teller anrichten. Lauchzwiebelbündchen und Apfelspieße platzieren. Die Limonenstreifen über die Taubenbrüste verteilen und das Ganze mit der Sauce angießen. Sofort servieren.

Lackierte Taube

mit Tannenhonig
und schwarzem Pfeffer an Ingwer-Limonensauce

Die Zutaten

Für 4 Personen
4 Tauben à 450 g
Salz, Pfeffer aus der Mühle
Öl zum Braten

Lack:
½ TL grober schwarzer
Pfeffer
10 ml Sojasauce
20 ml Tannenhonig
10 ml Ingwersirup
1 kl. frische Ingwerwurzel

Garnitur:
24 junge Lauchzwiebeln
10 g Zucker
40 g Butter
1 Bund Schnittlauch
50 ml Geflügelfond
10 ml Balsamicoessig
Salz, Pfeffer aus der Mühle

Apfelspieß:
2 Äpfel (Granny Smith)
20 g Butter
15 g Zucker
300 ml Weißwein
4 Rosmarinzweige

Ingwer-Limonensauce:
20 g Tannenhonig
20 g Ingwersirup
80 ml Limonensaft
250 ml Taubenfond
20 g Sojasauce
20 g Balsamicoessig
20 g Butter
Salz, Pfeffer aus der Mühle

Eingelegte Limonenjulienne:
2 unbehandelte Limonen
20 g Zucker
300 ml Weißwein

Komposition von Mandelmilchgranité

und Baba auf
Irish-Cream,
kandierten Kumquats
und Tannenharz-
Knusperblatt

Zubereitung

1. Mandelmilchgranité: Alle Zutaten mischen und in einer Schüssel gefrieren lassen. Dabei von Zeit zu Zeit umrühren. Beim Anrichten mit einer Gabel portionsweise aus der Schüssel kratzen.

2. Baba mit Haselnuss-Praliné: Mehl, Salz, Hefe, Praliné und Butter mit ca. 50 g Vollei vermengen. Den Teig glatt rühren und das restliche Ei nach und nach dazugeben. Den Teig ca. eine halbe Stunde gehen lassen und danach in Babaformen (Flexipanformen – "Pomponettes") füllen. Die Babas im Gärschrank gehen lassen. Danach im Ofen bei 200 °C 15 Minuten backen.

3. Tunk-Sirup für Baba: Zucker und Wasser zum Kochen bringen. Die Babas ca. 10 Minuten in den sehr warmen Sirup tauchen. Auf einem Gitter abtropfen lassen und bei 6 °C kalt stellen. Beim Anrichten einen Schuss Whiskey auf jeden Baba geben.

4. Tannenharz-Knusperblatt: Bonbons und Tannenzweig fein mixen. Acht runde Schablonen (ca. 6 cm Ø) auf ein mit Backpapier ausgelegtes Backblech legen und mit dem Tannenharzpulver bestreuen. Im Ofen bei 200 °C ca. 1 Minute schmelzen lassen. Abkühlen lassen und vom Backpapier ablösen. Trocken aufbewahren.

5. Kandierte Kumquats: Kumquats halbieren und entkernen. Dreimal in kochendem Wasser blanchieren. Wasser mit dem Zucker und den Gewürzen zum Kochen bringen. Blanchierte Kumquats hinzufügen und 1 Minute weiterkochen lassen. Abkühlen und über Nacht ziehen lassen.

6. Anrichten: Baileys auf 4 tiefe Teller verteilen, einen getunkten Baba in die Mitte setzen und ein Knusperblatt auf jeden Baba legen. In jeden Teller 5 bis 6 halbierte Kumquats legen. Auf jede eine halbe geröstete Haselnuss platzieren. Knusperblätter mit der Marmelade in der Spritztüte garnieren. Danach die zweite Hälfte der Haselnüsse und ein wenig Pistaziengrieß verteilen. Granité mit einer Gabel auskratzen und mit einem Eislöffel je ein Häufchen Granité auf die präparierten Babas dressieren. Jedes Häufchen Granité mit einem präparierten Knusperblatt garnieren.

Komposition von Mandelmilchgranité

und Baba auf Irish-Cream, kandierten Kumquats und Tannenharz-Knusperblatt

Die Zutaten

Für 4 Personen
ca. 12 cl Baileys Likör
1 Spritztüte, gefüllt mit
Hagebuttenmarmelade
24 geröstete Haselnüsse
Pistaziengrieß

Mandelmilchgranité:
250 g Wasser
250 g Joghurt
Saft einer Zitrone
60 g Mandelmilchsirup
100 g Läuterzucker
(50 g Zucker + 50 g Wasser
zum Kochen bringen)

Baba mit Haselnuss-Praliné:
100 g Mehl
1 g Salz
5 g Hefe
20 g Pralin noisette
50% Valrhona
35 g Butter
125 g Ei (ca. 2 ½ Stück)

Tunk-Sirup für Baba:
500 ml Wasser
250 g Zucker
Whiskey

Tannenharz-Knusperblatt:
100 g Tannenharz-Bonbons
1 Tannenzweig

Kandierte Kumquats:
125 g Kumquats
125 g Wasser
125 g Zucker
1 Zimtstange
Mark einer Vanilleschote
1 Sternanis

Entdeckungsreisen mit Wein

Unfehlbarkeit aber gehört keineswegs zu seinen Prinzipien. Das zeigt sich beim Wein. Viele großartige Köche sehen das Thema als Wissenschaft für sich und gehen ungern aus der Reserve. Für Wohlfahrt ist der Wein mit seiner unendlichen Vielfalt eine eigene Erlebniswelt, die er am liebsten mit kundiger Begleitung entdeckt. Zur Seite steht ihm dabei Stèphane Gass. Wenn der Küchenchef ein neues Menü entwirft und ausprobiert, ist der langjährige und vielfach ausgezeichnete Sommelier der „Schwarzwaldstube" ein verlässlicher Partner. Dann tüfteln die beiden am Programm der perfekten Harmonie oder setzen so lange Akzente, bis sie die richtige Stelle gefunden haben. „Im Wein sind unendlich viele Küchenaromen, mit denen man wunderbar arbeiten kann, wenn man sie aus der Erfahrung abruft. So kommt man ohne große Umwege zum Ziel. Aber mein Motto bleibt: Probieren, probieren, probieren."

Beim Komponieren von Saucen spielen Wohlfahrt und Gass mit den Veränderungen der Säurestruktur und mit den Aromen und mit der Intensität des Extrakts. Die Raffinesse steckt im Detail: „Wenn ich eine Weinhändlersauce mache, dann ist es ein Riesenunterschied, ob ich mit Burgunder oder Bordeaux arbeite. Das ganze Spektrum des Weins muss ich ja auch in Bezug setzen zum Fleisch und dessen Verhalten bei der Zubereitung – und nicht zuletzt zu den Beilagen. Das ist auch Gefühlssache. Mit Dogmen über das, was zusammenpasst und was nicht, legt man sich nur unnötige Beschränkungen auf." Mit mehr als 700 erstklassigen Weinen aus aller Welt im Keller verfügt das weinkulinarische Team der „Schwarzwaldstube" über ein sagenhaftes Repertoire für seine Geschmacksentwürfe.

Guten Winzern zollt der Meisterkoch ehrlichen Respekt. Küche und Keller sind aus seiner Erfahrung einander ebenbürtig: „Sie gehören zusammen wie Mann und Frau, wie Yin und Yang; und wenn ich bei einem Besuch in Spitzenlagen oder Keller des Bordelais oder der Champagne komme, dann fühle ich mich auf heiligem Boden. Aber so weit muss man ja gar nicht reisen bei den großartigen Weinen, die uns die deutschen Winzer anbieten." So gehören neben internationalen Erzeugnissen auch badische Grau- und Weißburgunder zu den Favoriten in Wohlfahrts privatem Weinkeller.

Salzstreuer und Seminare

Im Besitz der vollständigen Anerkennung seiner Qualität hat Harald Wohlfahrt in den 1990er Jahren viel von seinem Wissen preisgegeben – zum Beispiel in Diensten des Institut Culinaire Européen in München. Auf Wohlfahrts Programm als Referent dieser renommierten Einrichtung standen Kochseminare für Betriebsinhaber und Küchenchefs. „Klar hat das Spaß gemacht. Aber auf Dauer hältst du das kaum durch", sagt er jetzt. „Ich hab mir die Gerichte ausgedacht, die Rezepte geschrieben, die Einkaufslisten erstellt und die Ware eingekauft. Sonntag am späten Abend bin ich nach München gefahren und habe Montag und Dienstag, also an meinen sogenannten freien Tagen, referiert. Mittwochs hab ich dann wieder in Tonbach meinen Mann gestanden."

Dabei war dieses Münchner Engagement noch vergleichsweise komfortabel im Vergleich zu Wohlfahrts Premiere als Dozent. Die fand in der Hotelfachschule Bad Reichenhall statt. „Bringen Sie alles mit, was Sie brauchen, eventuell haben wir vor Ort gar nicht die Produkte, die Sie benötigen." Wohlfahrt nahm seinen Einstieg in den Lehrbetrieb sehr ernst – sogar so ernst, dass er heute schallend darüber lachen muss: „Sie hätten mal die Gesichter der Veranstalter sehen sollen, als ich dort Salz und Salzstreuer ausgepackt habe..."

Die Seminare führten den aufsteigenden Küchenmeister Harald Wohlfahrt auch in Hotelfachschulen am Tegernsee, in Bad Gastein und nach Villingen-Schwenningen. Kreativküche und zeitgemäße Küche standen auf dem Lehrplan, wenn er dort in Aktion trat. Auch Saucenseminare hat er gehalten. Dabei hat er sein Selbstwertgefühl gleich mit trainiert, weil er seine Arbeit vor vielen Menschen präsentieren konnte und weil er mit anderen Größen der Branche in Kontakt kam: „Dieter Müller, Albert Bouley, Jörg Müller – Kollegen von diesem Format zu treffen und Erfahrungen mit ihnen auszutauschen, das hat schon was gebracht."

...bis eine Sinfonie erklingt

Wohlfahrt hat sich seinerzeit gefreut, dass man ihm nachsagte, er habe von seinem Können am meisten preisgegeben. Was für ihn eine Selbstverständlichkeit war, nahmen seine Seminarteilnehmer gierig auf und ein Buch mit sieben Siegeln wollte er aus seiner Arbeit nie machen. Schon damals haben ihn die Leute gefragt, woher er die Inspiration nimmt für seine Arbeit und die Ideen für seine Menüs.

Wer jetzt fragt, bekommt, fast wie damals auch, eine Antwort mit musikalischer Note: „Zuerst kommen immer die Produkte – Fisch, Fleisch oder Gemüse zum Beispiel. Das sind meine Noten. Dann kommt die Frage nach der Form – was will ich damit ausdrücken, wie baue ich die einzelnen Elemente zusammen?

Dann setze ich Noten und Form in Zusammenhang, um das Ganze zum Klingen zu bringen, bis eine Sinfonie für Augen, Nase und Zunge entsteht.“

Erschöpft sich das mit den Jahren? „Nein. Denn es ist wie in der Musik. Eigentlich müsste doch alles schon komponiert sein, und trotzdem kommen immer wieder neue Melodien und neue Arrangements.

Es hört nie auf. Beim Kochen sind es die Streicheleinheiten, die feinen Geschmacksnuancen, die für das Neue sorgen, die beim Entdecker Glücksgefühle hervorrufen. Das sorgt für Harmonie von Körper, Geist und Seele, und meine Kunst ist es, diesen Gleichklang zu erzeugen.“

Da zuckt der Skorpion

„Ich will den Dingen auf den Grund gehen. Ich will Intensität!" Das könnte ein Zitat von Harald Wohlfahrt sein. Tatsächlich stammt es aus dem „Grundwissen Astrologie" und bringt auf den Punkt, was jene Menschen besonders auszeichnet, die im Tierkreiszeichen des Skorpions geboren sind – und zu ihnen gehört auch der Meisterkoch aus dem Schwarzwald. Das Sterndeuter-Menü wird nachgewürzt mit Eigenschaften wie leidenschaftlich, unergründlich, zäh, unerschrocken, belastbar und engagiert, ausdauernd und tiefschürfend. Der Skorpion-Mann grübelt und forscht gerne. Man sagt ihm nach, dass er hinter die Dinge blicken will und dabei vor nichts zurückschreckt, dass er andere gut durchschaut und dabei den wahren Kern sieht. Skorpione sind zielgerichtet und leidenschaftlich.

Bei der Konfrontation mit so vielen positiven Attributen zuckt Harald Wohlfahrt mit den Schultern, und man legt gerne noch eins drauf: Der Skorpiongeborene ist sehr wahrheitsliebend. Er duldet keine halben Sachen. Er ist kraftvoll, hat aber auch eine Tendenz zur Aufopferung bis hin zur Erschöpfung – und oft erwartet er das auch von anderen. Er ist zuverlässig in allen sozialen Beziehungen, zuverlässig und hilfsbereit. Der Skorpion hat die Fähigkeit, anderen tief in die Seele zu schauen. Er ist ein Mensch, der am liebsten alles, was er empfindet oder tut, ganz klar und direkt umsetzt. Er verachtet Schwächen. Jetzt bleibt das Schulterzucken aus – der Skorpion widerspricht nicht, aber er grübelt. Dann erfragt er auf der Suche nach Ausgleich sofort die negativen Eigenschaften seines Tierkreiszeichens: misstrauisch, nachtragend, undurchschaubar, gerissen, verbissen, kompromisslos, schwer zugänglich... „und ständig bereit, über sich selbst kritisch nachzudenken." Jetzt ist das Thema offiziell für ihn abgeschlossen. Alles Weitere findet im Kopf statt. Als Skorpion steht es ihm schließlich zu, Schwächen zu verachten.

Champignon als Champion

Den Produkten und ihren Eigenschaften auf den Grund zu gehen, gehört zu Wohlfahrts wichtigsten Erfolgsmethoden. Es muss nicht immer Kaviar sein: „Nimm doch mal einen Champignon. Das wirkt im ersten Moment vielleicht banal. Aber riech mal intensiv und konzentriert daran, beiß ein Stückchen ab und ertaste mit der Zunge seine Struktur, und dann überleg dir, was du daraus machen willst, womit du seine guten Eigenschaften, seine Aromen ganz besonders gut oder originell zur Geltung bringen willst. Es ist unglaublich, was so ein kleiner Champignon dir geben kann. Er wird kultiviert und in gewaltigen Mengen produziert. Aber: Ist er deshalb nichts wert? Im Gegenteil: Oft steckt in einfachen Zutaten das Potenzial für eine große kulinarische Überraschung."

Mitunter ist selbst für einen Routinier wie Wohlfahrt ein langer Weg dahin. Mit jahrzehntelanger Erfahrung kann er zwar zahllose Geruchs- und Geschmacksnuancen aus dem Gedächtnis abrufen und so gleichsam ein virtuelles Gericht kombinieren. Aber: „Längst nicht jede Idee wird gleich zum großen Wurf. Manchmal merke ich, dass ich einfach zu perfekt gedacht habe und meine Gäste damit überfordern könnte. Dann fange ich wieder von vorne an. Und wenn das Ergebnis dann doch keine dauerhaft positive Resonanz findet, dann verschwindet der Prototyp eben wieder und macht auf der Karte Platz für eine andere Komposition. Er muss ja nicht die ganze Saison halten."

Blick in die Genusswerkstatt

Selbst die Möglichkeiten einer derart hoch dekorierten Küche wie in der „Schwarzwald-stube" sind begrenzt. Bei voller Belegung stößt das Hochleistungssystem an die Grenzen von Zeit und Raum: Es geht erstaunlich viel, aber es geht eben nicht alles auf den rund 40 Quadratmetern, die nur durch eine kleine Anrichte von der eigentlichen Genusszone entfernt liegen. Auf den ersten Blick wirkt die Genusswerkstatt fast winzig im Verhältnis zu den großen Erwartungen, die ihr Ruf erzeugt. Ein knappes Dutzend Köche teilt sich diesen Raum, dessen Mitte ein großer Induktionsherd beherrscht. Vorne hat der Chef sein ureigenes Ceranfeld. Drumherum gibt's alles, was die moderne Gastronomie an Gerätschaften braucht. „So wenig wie möglich, aber so viel wie nötig", lautet die Devise. Dort schält einer grünen Spargel, hier filetiert ein anderer den Lachs. Der Nächste im Glied schnitzt Zucchini, der Übernächste setzt einen frischen Fond an. Da vorne wird Rotweinsauce passiert, da hinten wird ein Rehrücken tranchiert. Am zeitigen Vormittag geht es zwar nicht gemächlich, aber doch gelassen zu.

Gegen Mittag kommt das System auf Touren und die Herren in Weiß sind dankbar für die bestens arbeitende Klimaanlage. Für den inspirativen Blick hinaus ins Grüne ist jetzt keine Zeit mehr. Jeder Griff sitzt. Auf allen Posten herrscht konzentriertes Arbeiten. Die ersten Orders kommen rein und der Zaungast muss raus: Es wird zu eng. Auch deshalb machen Wohlfahrts Köche eine gute Figur – Normalgewicht ist angesagt. „Ab einem bestimmten Leibesumfang kämen die Herren bei den beengten Verhältnissen gar nicht mehr aneinander vorbei...", sagt der Chef lakonisch und stellt damit klar: Rundwüchsige Bewerber haben bei ihm erst gar keine Chance. Und Frauen? „Habe ich auch schon hier ausgebildet, aber das kommt nur selten vor, und dauerhaft geblieben ist keine davon."

Das Thema „Frau am Herd" kommt ein bisschen kurz beim Maître. Ist er etwa ein heimlicher Macho? So schnell lässt sich Wohlfahrt nicht provozieren. „Das ist doch anderswo auch so. Wenn du dich umschaust in der Spitzengastronomie, dann sind erfolgreiche Köchinnen eher die Ausnahme. Der Beruf ist halt eine Männerdomäne. Er ist ja auch hart genug, und man sollte den Frauen nicht zu viel zumuten. Aber eines muss ich zugeben: Der Umgangston in der Küche ist wesentlich gepflegter, wenn eine Frau im Team ist. Das ist doch auch was wert." Ende der Durchsage. Der Rest bleibt Spekulation.

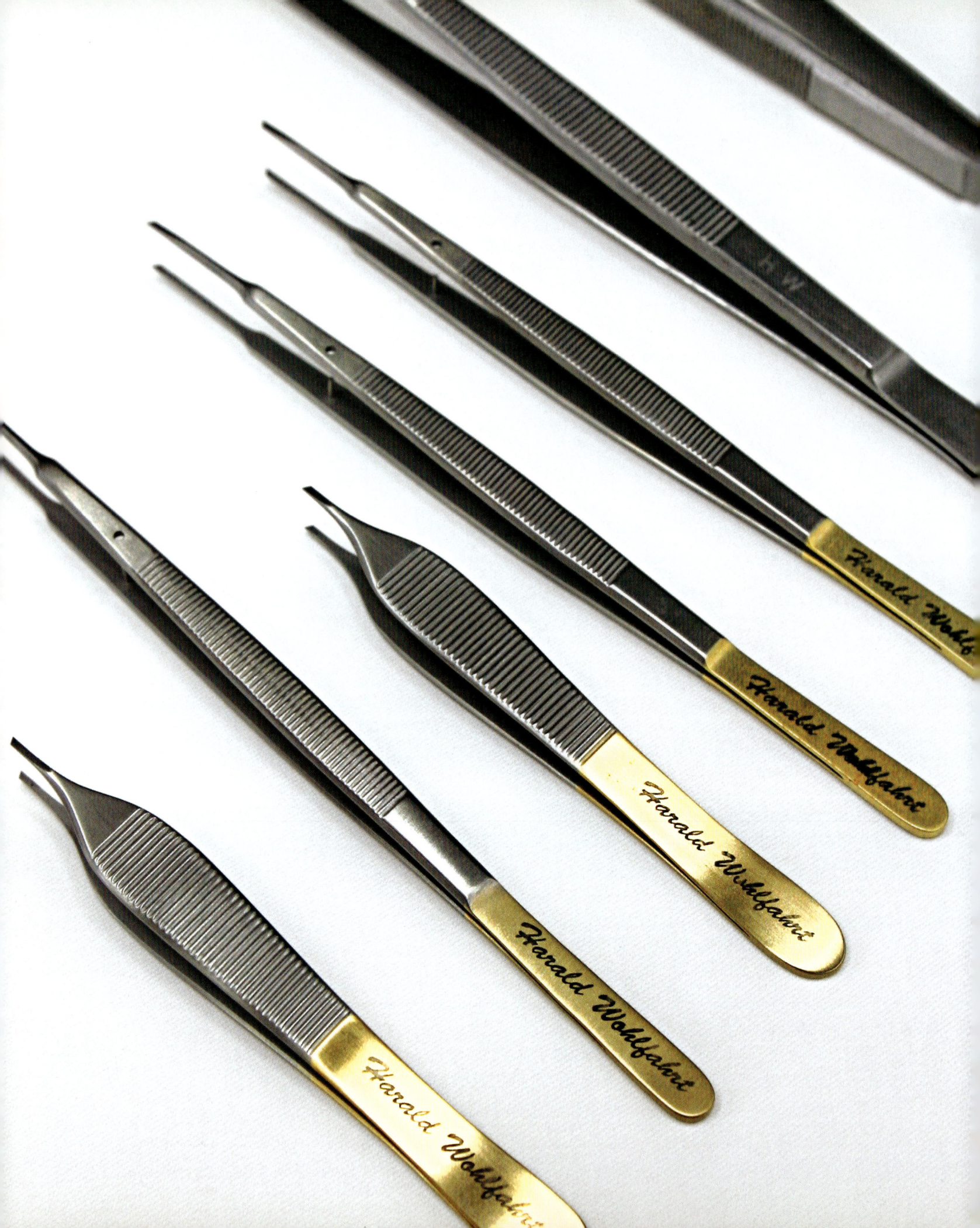

Mit Lesebrille und Pinzette

Wohlfahrts Platz in der Küche ist der Pass. Von hier aus gibt der Chef die Orders weiter und hält den Service im Restaurant auf Trab. Jeden der jeweils rund 250 Teller pro Mittag und Abend inspiziert er persönlich. Jetzt sitzt die Lesebrille ganz vorne auf der Nase, und der kritische Blick scannt förmlich ein, was sein Team angerichtet hat. Die Produktion läuft wie am Schnürchen. Bisweilen greift er zur langen Pinzette und arrangiert noch ein Detail ganz genau nach seinen Vorstellungen. Maßarbeit ist das, keine Spielerei – und für jeden Griff hat er das passende Format zur Hand. Das Pinzettensortiment verdankt er einem guten Gast, der von Wohlfahrts Bedürfnis nach unbedingter Perfektion dermaßen beeindruckt war, dass er ihm diese „Werkzeuge" zum Präsent machte. Sogar der Name des Maître ist eingraviert. Dass dieser Gast selbst Pinzetten produziert, ist nur eine von vielen verblüffend einfachen Erklärungen für so manches Erstaunliche in dieser ganz besonderen Küche.

„Mit den Pinzetten ist es wie mit den Stäbchen beim Essen: Du bekommst ein ganz anderes Gefühl für das, was auf dem Teller liegt. Da haben uns die Asiaten was voraus. Denn im Vergleich dazu sind Messer und Gabel ziemlich grobe Werkzeuge." Der Chef philosophiert gerne über andere Länder und andere Sitten, und weil Reisen bildet, hat er Eindrücke aus aller Herren Länder im Kopf verarbeitet – freilich ohne damit in der Küche zu experimentieren. Wohlfahrt ist kein Freund des Cross-over am Herd. Den Trend zum Asiatischen in der deutschen Gastronomie hat er eher mit skeptischer Neugier beobachtet. Zu oft sind seiner Meinung nach europäische Klassiker mit asiatischen Elementen nicht verfeinert, sondern verdorben worden. „Es reicht ja nicht, mit Curry, Ingwer und Zitronengras herumzuexperimentieren und das als progressive Küche zu verkaufen."

Der wissensdurstige Schwarzwälder geht den Dingen auch in diesem Fall auf den Grund: „Die Asiaten haben nicht nur ganz andere Produkte, sie haben auch völlig andere Methoden. Sie haben eine eigenständige, traditionsreiche und sehr hoch stehende Kochkultur. Um die zu begreifen, reicht keine Stippvisite in China oder Japan oder Indonesien. Es dauert Jahre, bis man bestimmte Fertigkeiten erlernt, die dort selbstverständlich sind, und bis man über die Zutaten und ihre Behandlung so gut Bescheid weiß, dass man damit vor ein anspruchsvolles Publikum treten kann. Zum Beispiel der Umgang mit rohem Fisch: Der wird nicht nur mit Salz und Pfeffer überstreut wie in Europa. In Asien reift er langsam und gleichmäßig in einer leichten Salzlake und verhält sich dann bei der anschließenden Verarbeitung ganz anders. Oder der Umgang mit Sojasauce: In Asiens kulinarischer Hochkultur ist eine gewöhnliche Sojasauce, wie man sie in Europa im Regelfall einsetzt, nicht akzeptabel. Eine echte Sojasauce reift über Jahre und wird dann möglicherweise mit anderen Saucen ganz kurz vermischt, um einen bestimmten Effekt zu erzielen. Dafür fehlt uns das Hintergrundwissen. Bei uns hat mancher gedacht, es sei damit getan, die Sojasauce einfach in den Fond oder in die Suppe zu kippen. Wer international mitspielen will, sollte sich schon ganz genau informieren."

Zwei Hähnchen und fünf Knochen

Harald Wohlfahrts Platz ist in der „Schwarzwaldstube". Doch als Deutschlands Koch Nummer eins kommt er über die Jahre doch in der Welt herum. „Manchmal kommst du aus dem Staunen nicht mehr heraus. Aber manchmal lernst du einfach nur Bescheidenheit und Dankbarkeit. Wir sollten uns öfter vor Augen halten, dass wir in Deutschland in einem Garten Eden leben, was die fast unbegrenzte Verfügbarkeit von Nahrungsmitteln aller Art angeht", sagt er im Rückblick auf zwei Ereignisse, die ihm unauslöschlich in Erinnerung bleiben.

Eines davon hat sich in Kroatien zugetragen, beim Urlaub im Heimatland seiner Frau Slavka. Wohlfahrt will abends für die Familie kochen. Also stattet man der örtlichen Metzgerei einen Besuch ab. Dort hängen ein Schweineschlegel und fünf gebratene Hähnchen. Das ist zunächst alles. Aber gebratene Hähnchen sind dem Meisterkoch nicht genug. Erst als die Familie sich zum Gehen wendet, holt der Metzger zwei ungebratene Vögel aus dem Kühlhaus. Wohlfahrt: „Er wollte einfach nicht, dass die gebratenen Hähnchen verderben, weil es dort, ganz anders als bei uns, eben keinen unbegrenzten Nachschub gab."

Auch Kalbsknochen können zur Mangelware werden, wenn man den heimischen Herd verlässt. Als Wohlfahrt zur Eröffnung eines Restaurants in der ukrainischen Hauptstadt Kiew kochen soll, wollen er und die Kollegen mal eben schnell 50 Kilo Kalbsknochen vorbestellen, um sie rechtzeitig für den Fond anzusetzen. Weil sie keinen Händler kennen, gehen sie auf den Markt und müssen eine ganze Weile suchen, um dann doch glücklich vor einem Tisch voller Kalbsknochen zu stehen. „‚50 Kilo Kalbsknochen bitte', haben wir der Marktfrau gesagt. Aber die hat nur verständnislos den Dolmetscher angeschaut und mir dann wortlos genau fünf Knochen hingeschoben. Als ich mehr wollte, hat sie gesagt: ‚Nein, ich kann sie nicht alle hergeben. Es kommen heute noch mehr Menschen zu mir, und die können sich dann keine Suppe mehr kochen, weil ich Ihnen alles gegeben habe.' Die Ware war rationiert – und das in einer Millionenstadt wie Kiew. Wir sind ziemlich bedröppelt abgezogen, haben noch ein paar Kilo Knochen an anderen Ständen zusammengekauft, um wenigstens eine halbwegs ordentliche Sauce kochen zu können. Dagegen leben wir hier im Schlaraffenland. Das muss man sich öfter mal vor Augen halten."

Urlaub mit der Familie

Unkompliziert auf Reisen

Den Urlauber Harald Wohlfahrt zieht es mit ziemlicher Regelmäßigkeit nach Süden. Er liebt die Sonne, den Strand und das Meer, im Schwarzwald ist ihm die „pulloverfreie Zeit" einfach zu kurz. „Ich bin aber kein notorischer Sonnenanbeter, der sich dann tagelang grillen lässt. Ich tanke einfach Energie und freue mich, wenn ich andere Länder und andere Sitten kennen lerne." Im Urlaub erlebt man den Menschen Wohlfahrt, losgelöst vom kulinarischen Sternehimmel, vergleichsweise anspruchslos: „Wenn sie abends frischen Fisch grillen, wenn du dir am Büffet frisches Obst und frische Salate holen kannst, dann ist das vollkommen okay. Eigentlich bin ich ganz unkompliziert." Den letzten Satz sagt er mit Nachdruck.

Kochevent auf der MS Europa
in der Südsee 2003

Gipfeltreffen der Meisterköche in Belek (Türkei) 2001

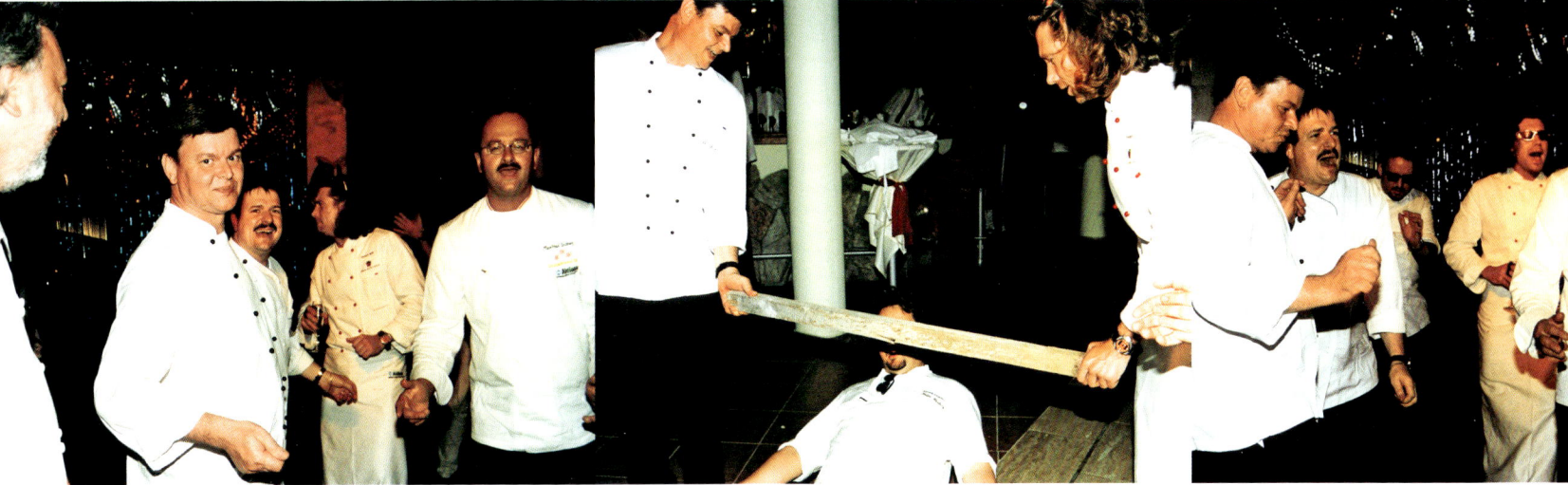

Erst die Arbeit, dann das Vergnügen: Ausgelassene Stimmung nach dem Gipfeltreffen

Wohldosierte Bewegung

Erholung ist wichtig für einen Marathon-Mann wie Wohlfahrt, der seine Präsenzpflicht
in der „Schwarzwaldstube" sehr ernst nimmt und oft genug darauf verzichtet, Krank-
heiten richtig auszukurieren. Nach einem Verkehrsunfall hat er sich mit einer gebro-
chenen Zehe und eingegipstem Fuß gleich wieder auf den Stuhl an seinem „Pass"
gesetzt und von dort aus Regie geführt. „Manchmal war das schon Leichtsinn, aber
mein Ehrgeiz war einfach zu groß", sagt er heute. Das gilt auch für den Sportsmann
Harald Wohlfahrt, der als junger Mann ein begeisterter Fußballer war und später auch
in der Nationalmannschaft der Köche gespielt hat. Beim Tennis hat irgendwann die
Hüfte nicht mehr mitgespielt. Längst hat er deshalb einen Gang zurückgeschaltet
und schont die Gelenke: Schwimmen, Radfahren und Wandern sind jetzt seine Mittel
der Wahl zum Erhalt der körperlichen Fitness und zum Vermeiden von Übergewicht.
Ein bisschen Golfen gehört auch zum Programm, aber wirklich nur ein bisschen, weil
ihm dafür einfach die Zeit fehlt. Zur Platzreife hat er es trotzdem gebracht.

Wohlfahrts Begeisterung für Fußball tut das keinen Abbruch, auch wenn man ihn
nur ganz selten in einem Bundesligastadion sieht: Samstag ist Arbeitstag für ihn und
seine Mannschaft, da ist die „Schwarzwaldstube" über Wochen und Monate komplett ausgebucht. Aber zu zwei ganz großen Highlights hat ihm sein Beruf dann doch
verholfen. Bei der Fußball-Weltmeisterschaft hat er für eine Begleitveranstaltung von
Daimler-Chrysler in Stuttgart gekocht und ein paar Minuten vor Anpfiff des Spiels
um Platz drei Deutschland gegen Portugal noch eine Karte als Geschenk bekommen.
Tags darauf ist ihm das Glück erneut hold: Nach einem kulinarischen Empfang der
baden-württembergischen Landesvertretung unter Mitwirkung des Tonbacher Teams
hat Wohlfahrt sogar noch ein Ticket fürs Finale ergattert. Da schwelgt er gerne in
Erinnerungen.

Im PALAZZO lässt Harald Wohlfahrt seinen Gästen eine unterhaltsame Mischung aus Haute Cuisine, internationaler Spitzenartistik und Comedy servieren.

Abenteuer „Palazzo"

Bei solchen Außer-Haus-Veranstaltungen macht sich der Maître eher rar. Er weiß, was er seinen Gästen in der „Schwarzwaldstube" schuldig ist. Auf ein Engagement hat er sich dennoch eingelassen: die Dinner-Show „Palazzo". Seit dem Jahr 2000 zeichnet Wohlfahrt dort für den kulinarischen Part verantwortlich – selbst für den Routinier eine echte Herausforderung. Die kulinarische Varieté-Show im stilvollen Spiegelzelt-Ambiente spielt inzwischen in Mannheim, Stuttgart und Hamburg und lockt von November bis Januar Abend für Abend bis zu 400 Gäste an. „Anfangs war das wirklich ein Abenteuer, denn dabei lieferst du jede Menge Angriffspunkte", sagt Harald Wohlfahrt und überrascht mit diesem Geständnis: „Auch wenn man es mir nicht glauben will, in meinem tiefsten Inneren bin ich ein Spieler. Also bin ich das Risiko eingegangen."

„Harald Wohlfahrt", das bürgt wohl für Qualität und sorgt für Popularität. Aber bei der Dimension von „Palazzo" ist das noch keine Erfolgsgarantie und mit der Funktion als Aushängeschild gibt sich einer wie er nicht zufrieden. Also entwickelt er nicht nur anspruchsvolle Menüs und steigt in die organisatorischen Vorbereitungen ein; er schaut an seinen freien Tagen auch regelmäßig nach dem Rechten und besucht stichprobenartig alle Veranstaltungsstätten. Mit beruflichem Können und genauer Kenntnis der Abläufe geht man an ein solches Werk. „Auf die Küchenchefs vor Ort ist Verlass. Aber auch kleine Fehler und Reibungspunkte müssen sofort beseitigt werden, alles muss laufen wie am Schnürchen, sonst kommt der ganze Betrieb ins Stocken", sagt der kulinarische Controller.

Der Blick auf ein Menü-Beispiel lässt erahnen, was es bedeutet, hier à la minute zu servieren: Als ersten Gang reicht man Salat von gegrilltem Gemüse und gebratenen Gambas in Olivenvinaigrette mit Pistou. Dem folgt eine Zanderschnitte mit Macadamianüssen und orientalischen Gewürzen, gratiniert auf Risoletti in Thai-Curry und Ahorn-Limettensauce. Als Hauptgang werden Tournedos vom Kalbsrücken auf Broccoli und Romanesco an Trüffelsauce serviert. Ein Dessertteller mit karamellisierter Vanillecreme, Cappuccino von Moccaeis und exotischen Früchten in creolischer Sauce versüßt die vierstündige Dinnershow zum Abschluss.

„Wir sind auch Schausteller"

Besonders fasziniert den Meisterkoch der Blick hinter die Kulissen: „Vorne Kristalllüster und roter Plüsch, hinterm Vorhang grelles Arbeitslicht und das technische Equipment, das ist ein unglaublicher Kontrast." Dass er die Künstler des „Palazzo", deren Programm viel mehr ist als Pausenfüller zwischen den Gaumenfreuden, ganz aus der Nähe erleben kann, begeistert ihn immer wieder aufs Neue: „Was für ein Engagement, was für eine Stimmung, was für eine Präzision – fast wie bei uns Köchen: Wir sind doch auch wie Schausteller und Zirkusleute. Wir leben im Gegensatz zu unserem Publikum in einem ganz eigenen Rhythmus, gleichsam antizyklisch. Und auch wir sind dazu bestimmt, anderen Menschen Freude und Genuss, Sensationen und Entspannung zu bieten." Der Profi Wohlfahrt zeigt Gefühle, wenn er sich an solcher Seelenverwandtschaft laben kann.

Clinton greift zum Saxophon

Zu den wenigen Anlässen, derentwegen Wohlfahrt seine Küche verlässt, um sein kulinarisches Können unter Beweis zu stellen, gehört die Vergabe des Deutschen Medienpreises in Baden-Baden. Seit 1992 wird diese Auszeichnung an herausragende Persönlichkeiten des öffentlichen Lebens vergeben, und zu den Höhepunkten dieses viel beachteten Events zählt das rauschende Fest nach der Preisverleihung. Harald Wohlfahrt war von Anfang an dabei und trägt längst die Gesamtverantwortung für das kulinarische Programm. Die Vorbereitungsarbeiten für das erlesene Buffet gehen über Monate. Nach fantasievollen Entwürfen werden Butterfiguren gestaltet und Eisfiguren gemeißelt – für Boris Jelzin hat das Team von der Traube Tonbach sogar eine russische Kirche aus Schokolade nachgebaut. Die logistische Leistung für diesen Event mit seinen rund 200 oft weltberühmten Gästen ist enorm – und manchmal kommt es ein bisschen anders, als man denkt: Für Yazir Arafat zum Beispiel hatte die Mannschaft um Wohlfahrt eigens Fleisch beschafft: es war extra „halal", aber der Palästinenser-Chef aß dann nur Fisch. François Mitterand, Helmut Kohl, Nelson Mandela, die Königinnen Silvia von Schweden und Rania von Jordanien und zahllose andere Berühmtheiten hat Harald Wohlfahrt beim Medienpreis bewirtet und dabei viele ausgefallene Wünsche erfüllt. „Unglaubliche Begegnungen waren das", erinnert sich der Maître und strahlt, wenn er davon erzählt, wie Bill Clinton zu später Stunde sein Saxophon ausgepackt und darauf gespielt hat. Das bringt auch den souveränen Drei-Sterne-Koch ins Schwärmen.

Der Arbeitstag hat 14 Stunden

Zurück in Tonbach nimmt ihn der Arbeitsalltag wieder gefangen. Bis zu 14 Stunden Einsatz bringen sein Team und er an vielen Tagen. In der Regel läuft das so ab: Um 8 Uhr steht Wohlfahrt auf und nimmt kurz vor 9 Uhr im „Plauderstübchen" der „Traube" sein Frühstück ein. Zu den beiden belegten Brötchen gibt's Kaffee und Tageszeitung. Das meiste wird überflogen, das Interessante wird gelesen, und gar nicht selten verweilt der Meisterkoch beim Wirtschaftsteil und den Börsenkursen. Denn das ist sein heimliches Hobby, das Börsengeschehen fasziniert den Kleinaktionär Wohlfahrt schon viele Jahre.

In die Küche kommt der Chef um 9 Uhr. Da ist die Mannschaft schon am Werkeln. Wohlfahrt inspiziert die Kühlhäuser: Was ist vorrätig, was muss geordert werden, was soll verkauft werden? Einkaufslisten werden geschrieben, der wahrscheinliche Bedarf muss kalkuliert werden. Bestellungen werden durchgegeben, manche Produkte brauchen drei, vier Tage Vorlauf. Der Tagesplan wird durchgegangen. Nebenbei gibt's Schreibarbeit und telefonische Beratung für Gäste, die ein besonderes Menü buchen wollen. Dafür nimmt sich der Chef gerne Zeit. Das ist wichtig. Jetzt ist auch die Zeit, die Fragen von neugierigen Journalisten zu beantworten und das eine oder andere Bewerbungsgespräch im „Plauderstübchen" zu führen. Interessante Bewerber um einen Platz in dieser Küche gibt es immer genügend.

Dort sind mittlerweile die Vorbereitungsarbeiten in vollem Gange. Gemüse wird fein gewürfelt. Kräuter werden frittiert. Bis zu zehn Grundsaucen werden zubereitet. Dort wird Fisch filetiert, hier wird Fleisch ausgebeint. Wohlfahrt hilft gerne, wo Not am Mann ist, obwohl er in vielen Jahren gelernt hat, wie man sinnvoll und richtig delegiert: „Für den Gesamtbetrieb ist das unerlässlich." Die Postenchefs bauen ihre Position auf und die Arbeiten für den Service werden vorbereitet. Um 11.30 Uhr holt das Team für eine halbe Stunde beim Mittagessen Luft, „und dann hört alles auf mein Kommando." Die ersten Gäste haben Platz genommen, der Service geht los, das erste Amuse-Gueule geht raus.

Wohlfahrt hält am „Pass" die Stellung, bis das Dessert serviert ist. Dann geht er ins Restaurant und spricht mit den Gästen. Lob und manchmal auch Kritik werden gleich hinterher an die Brigade weitergegeben und besprochen. Dann ist „Zimmerstunde". Der Chef pausiert von 16 bis 17 Uhr, und schon geht das gleiche Spiel von vorne los. Um 19 Uhr beginnt der Abendservice, der zieht sich bis mindestens 23 Uhr. Feierabend ist oft erst nach Mitternacht. So geht das von Mittwoch bis Sonntag. Und bis der Maître nach Hause kommt, schläft die Frau Gemahlin oft schon tief und fest, schließlich tritt sie schon früh morgens ihren Dienst im Hotelbetrieb der „Traube" an. Vor dem Einschlafen braucht Harald Wohlfahrt meist noch zwei Stunden, bis er zur Ruhe kommt. Meist läuft er noch ein paar Meter mit dem Hund. Auch das entspannt.

Mußestunden als Mangelware

Fürs Private bleibt nicht viel Zeit im Leben eines solchen Küchenprofis. Mußestunden sind Mangelware. Wie füllt sie der Meister? „Es gibt hier im Haus ein beschauliches Plätzchen im Saunabereich. Da hab ich dann ein Stündchen meine Ruhe und kann mich bei einem Saunagang ganz gut entspannen. Seit die Kinder erwachsen sind, hab ich auch zu Hause mehr Ruhe und kann mal für eine halbe Stunde die Beine hochlegen. Manchmal genieße ich zwischendurch auch unseren großen Garten und mach es mir auf der Terrasse bequem. Meine Frau hat ein Faible für Pflanzen und Gartenpflege, daran kann ich mich auch so richtig erfreuen. Den Rasen mähen muss ich aber trotzdem."

Schwarzwald-Nachbar Claus-Peter Lumpp liebt Mutters Schweinebraten mit Knödeln. Dieter Müller mag „ganz privat" gerne Dampfnudeln. Und Harald Wohlfahrt? Der kann sich nicht so recht entscheiden. Eine schöne Kalbshaxe, am liebsten daheim auf der Terrasse, oder Gaisburger Marsch vielleicht, jene schwäbische Eintopf-Spezialität – eine Vorliebe, die er mit Bundespräsident Horst Köhler teilt und die er dem Staatsoberhaupt schon höchstselbst aufgetischt hat. Die wahrhaftige Leibspeise des Meisterkochs scheint indessen Rinderbrust mit Meerrettichsauce zu sein, und er gesteht: „Nach Meerrettich bin ich geradezu süchtig, sein Duft ist mystisch und unverwechselbar..." Mit geschlossenen Augen blättert Wohlfahrt im kognitiven Aromenkatalog.

Musashis langer Weg

Selbstverständlich nimmt er „Fachliteratur" zur Hand. Auch Sachbüchern aus dem Wirtschaftsleben gilt sein Interesse. Aber die Zeit, um sich in aller Ruhe mit Literatur zu beschäftigen, findet Harald Wohlfahrt nur selten. Aber ein Buch, das ihm als junger Koch ein Gast geschenkt hat, fasziniert ihn bis heute: „Musashi". Geschrieben hat es der japanische Romancier Eiji Yoshikawa. Er schildert auf 1200 Seiten den dramatischen Prozess der Selbstfindung des bedeutendsten Schwertritters im Japan des 17. Jahrhunderts. Es ist zugleich der Weg eines Mannes, der durch den Staub zu den Sternen führt – von der ersten Teilnahme als grobschlächtiger Bauerntölpel an einer verlorenen Schlacht bis zum triumphalen Sieg über seinen größten Rivalen unter den Samurai. Zwischen diesen beiden Ereignissen liegt für Musashi eine lange, entbehrungsreiche Zeit, die geprägt ist von einsamen Tagen der Askese, brutaler Selbstdisziplin und körperlicher Züchtigung sowie unstillbarem Hunger nach Wissen und der Suche nach der Erleuchtung. Viele verlieren beim Aufeinandertreffen mit Musashi ihr Leben, nur wenige Zeitgenossen können ein Band der Freundschaft mit ihm knüpfen. Doch seinen Weg zum furchtlosen, unbesiegbaren Samurai muss er alleine gehen.

Wohlfahrt erzählt die Geschichte (fast) bis zum Ende: „Schließlich findet er den Meister, der über Leben und Tod entscheidet. Er entdeckt in dessen Garten eine Leine, die von einem perfekten Schnitt durchtrennt worden ist und weiß, dass er am Ziel ist. Als er anklopft, erscheint in der Tür ein uralter Mann. Da fragt sich der Samurai: will ich wirklich gegen einen Greis kämpfen? Er hat doch gar keine Chance gegen mich jungen, vitalen Mann. Kann ich mich als Sieger eines derart ungleichen Kampfes selbst aus Überzeugung ‚Meister' nennen? Kann ich nur so mein Ziel erreichen?" Den Schluss lässt der Meisterkoch offen und merkt an, dass ihm das wie eine Parabel erscheint: Man muss auf dem Weg nach oben ganz klar seine eigenen Fähigkeiten erkennen. Man muss abwarten können, bis die eigene Zeit kommt. Man muss Respekt haben vor der Genialität des Menschen. „Selbst großartige Köche könnten im hohen Alter nicht mehr mit voller Kraft in einem Hochleistungsservice wie bei uns mitarbeiten. Aber Bocuse zum Beispiel kann noch immer eine Hummersauce kochen wie kein anderer", sinniert Wohlfahrt und man verkneift sich die Frage, ob er sich wohl ärgern würde über den Ehrentitel „Bocuse aus dem Schwarzwald".

Ausgezeichnete Leistung

Ehre wird ihm auch auf andere Weise zuteil – nicht nur in den Gourmetführern. So ist im Sommer 2006 eine neue Rosenzüchtung nach ihm benannt worden. Der renommierte Züchter Henri Delbard aus Malicorne im westlichen Loiretal beschreibt seine intensiv rote Rose „Harald Wohlfahrt" so: „Sie hat einen starken, betörenden Duft nach Zitronenkraut und Mango, Himbeeren, weißem Pfirsich und gemahlenen Nüssen." Fünf Jahre hat der Franzose an dieser Züchtung gearbeitet. Bei der Rosentaufe im Schwarzwald waren unter anderem Wohlfahrts prominente Kollegen Dieter Müller und Jean Pierre Haeberlin zu Gast. Wohlfahrts Patron Heiner Finkbeiner würdigte die Lebensleistung seines Küchenchefs und vergaß beim Blick in die Runde nicht den Hinweis, dass die Sterne im Guide Michelin auch als stilisierte Rosen dargestellt seien.

Sogar die hohe Politik weiß seine Kunst zu würdigen und verleiht ihm das Bundesverdienstkreuz mit der Begründung: „Es ist maßgeblich Verdienst von Harald Wohlfahrt, wenn Baden-Württemberg heute national und international nicht nur als Spitzenstandort für technische Produkte wie Autos oder Maschinen, sondern auch als Top-Adresse für Kulinarik und Spitzengastronomie genannt und verstanden wird." Die vollkommene Küche Harald Wohlfahrts und der exzellente Service in der „Schwarzwaldstube", heißt es weiter, seien zu einem Aushängeschild für die Lebensqualität im Schwarzwald und für die Gastkultur des Landes geworden. Das war im November 2004.

Wohlfahrt lächelt milde, wenn man ihn auf diese Auszeichnung anspricht. Wahrscheinlich ist er gerade mal wieder froh darüber, dass er auf seinen dritten Michelin-Stern nicht so lange warten musste. Dann greift er ins Bücherregal und präsentiert einen abgegriffenen Band des Motivationstrainers Arthur Lassen mit dem optimistischen Titel „Heute ist mein bester Tag". Er schlägt eine Seite mit eingeklebter Silberfolie auf, schaut lächelnd in sein Spiegelbild und zitiert: „Hier siehst du den Menschen, der für dein Leben verantwortlich ist. Der Mensch im Spiegel muss Dein bester Freund werden. Enttäusche ihn nicht." So einfach lüftet der Meisterkoch und Mensch Harald Wohlfahrt das Geheimnis seines persönlichen Erfolgsrezeptes.

Die Meinungen der Meisterschüler

Christian Bau, „Victor's Gourmetrestaurant Schloss Berg" in Victor's Residenz-Hotel, Schloss Berg in Perl-Nennig, gehört zu Harald Wohlfahrts ausdauerndsten Schülern. „Ich bin ihm unendlich dankbar, da Wohlfahrt der war, der mich sowohl fachlich als auch menschlich am meisten geprägt hat. Damals wie heute beeindruckt mich neben seinem fachlichen Können seine Großzügigkeit, Gelassenheit und Freundschaft, die ich nicht mehr missen möchte. Auch heute bin ich mir nicht zu schade, ihn in allen Lebenssituationen um einen freundschaftlichen Rat zu bitten."

Thomas Bühner, Restaurant „la vie" in Osnabrück, war zwar nur neun Monate im Team der „Schwarzwaldstube". Aber diese Zeit hat ihn geprägt. „Er hat immer den genauen Überblick, sobald er die Küche betritt", sagt er über Harald Wohlfahrt und bewundert vor allem „dessen Menschenkenntnis und Einfühlungsvermögen", seine Beobachtungsgabe und den immensen Respekt beim Umgang mit den Produkten in der Küche.

Klaus Erfort, „Gästehaus Erfort" in Saarbrücken, kam eher spontan ins Team der „Schwarzwaldstube". Aufgrund einer fehlgeleiteten Trüffellieferung, die er aus der „Traube" zurückholen musste, lernte er seinen späteren Lehrmeister kennen. Harald Wohlfahrt faszinierte ihn vor allem durch seine Beständigkeit, Menschlichkeit und seinen Ehrgeiz. Aspekte, die ihm auch den Weg in die Selbstständigkeit bereitet hätten, wie Erfort meint.

Ingo Holland, „Zum Alten Rentamt" in Klingenberg, sagt über seinen ehemaligen Chef: „Er zeigt einem, was er will und was er meint." Er nennt ihn ein „Multitalent", das Visionen hat und sie konsequent umsetzt. Das gute Arbeitsklima in der „Schwarz-waldstube" sei nicht zuletzt dadurch zustande gekommen, dass Wohlfahrt stets das Gespräch mit seinen Mitarbeitern suche und das Team als Einheit fördere.

Hartmut Leimeister, Restaurant „La Fontaine" im Hotel „Ludwig im Park" in Wolfsburg-Fallersleben, ist bis heute fasziniert vom „akkuraten Arbeiten und der Beharrlichkeit", mit der Harald Wohlfahrt und sein Team in der „Schwarzwaldstube" ans Werk gehen. Auch er denkt gerne an das gute Arbeitsklima zurück. Seinen ehemaligen Chef hat er als „sehr korrekt und ehrlich" in Erinnerung und bewundert bis heute dessen „Kunst, über so viele Jahre auf diesem hohen Niveau zu arbeiten".

Wahabi Nouri, Restaurant „Piment" in Eppendorf, kennt Harald Wohlfahrt als einen Menschen, der „stets ein offenes Ohr für einen hat". Er sei bedachtsam, ausgeglichen und bodenständig wie seine Heimat, der Schwarzwald. In guter Erinnerung hat er Wohlfahrts Umgang mit guten Produkten: „Wenn er einen Fisch vor sich hatte, strich er über das tote Tier, als ob er es streicheln wollte. Man kann fast sagen, er nahm Verbindung zu ihm auf, bevor er damit begann, es zu filetieren."

Christoph Rüffer, Restaurant „Haerlin" im Raffles Hotel „Vier Jahreszeiten" in Hamburg, erinnert sich mit Hochachtung daran, wie Wohlfahrt an neue Gerichte heranging. Er sei stets hochkonzentriert an die Arbeit gegangen, habe morgens ganze Testreihen gemacht und von allem bereits eine ausgereifte Vorstellung im Kopf gehabt – und: „Er gab nicht nur Anweisungen, sondern führte seine Lehrstücke auch immer vor."

Jörg Sackmann, Hotel Sackmann in Baiersbronn-Schwarzenberg, zählt zu Harald Wohlfahrts besten Freunden. „Respekt vor dem Produkt und äußerste Sorgfalt" haben ihn in der „Schwarzwaldstube" stark beeindruckt. Trotz seines unglaublichen Ehrgeizes sei Wohlfahrt als Mensch natürlich, stets ausgeglichen und kritikfähig geblieben: „Ein Mensch, von dem man sehr viel lernen kann und der immer zu einem Gespräch bereit ist."

Lob vom Ex-Patron: Für Willi Finkbeiner, Ex-Patron und Gründer der „Schwarzwaldstube", gehört Harald Wohlfahrt zu den wenigen Menschen, die auch bei maximalem Erfolg nicht überheblich und selbstzufrieden werden, sondern sich permanent weiter verbessern wollen. Auf seine Pünktlichkeit und seine Disziplin sei von Anfang an Verlass gewesen – Eigenschaften, die auch bei seinen Mitarbeitern für großen Respekt sorgten.

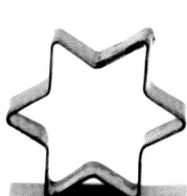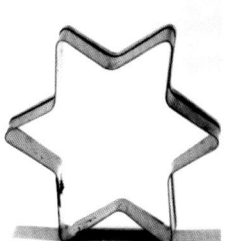

Mosaik von Sankt-Jakobsmuscheln

und Felsenaustern an
Limonenvinaigrette
und Imperialkaviar

179

Zubereitung

1. Austern: Austern mit dem Austernöffner aufbrechen und das Austernwasser auffangen und durch ein Sieb gießen. Austernfleisch auslösen, ohne es zu beschädigen. Das Austernwasser erwärmen. Die Austern 30 Sekunden in dem Austernwasser gar ziehen lassen. Ganz wichtig: Das Austernwasser darf nicht kochen.

2. Jakobsmuscheln: Flache Seite der Jakobsmuscheln auflegen. Mit dem Küchenmesser die Muscheln von der Schale trennen und den Deckel abheben. Muschelfleisch vorsichtig aus der Schale lösen. Das Muschelfleisch darf dabei nicht verletzt werden. Äußere Schleimhäute der Jakobsmuschel entfernen und die Muschel unter fließendem, kalten Wasser sauber spülen. Danach mit Küchenkrepp abtrocknen.

3. Hummerrogen: In leicht gesalzenem Wasser 5 Minuten gar ziehen lassen, aus dem Wasser nehmen und erkalten lassen. Mit der Gabel fein zerdrücken.

4. Schnittlauch: In feine Röllchen schneiden.

5. Anrichten: Die Jakobsmuscheln in dünne Scheiben schneiden. Die Austern der Länge nach halbieren. Beide Muscheln wie ein Mosaik auf dem Teller anrichten, leicht mit Meersalz und Pfeffer bestreuen und mit der Limonenmarinade bepinseln. Mit den Schnittlauchröllchen und dem Hummercorail bestreuen. Um das Ganze herum, den Kaviar anrichten.

Für 4 Personen
12 große Jakobsmuscheln
16 Felsenaustern
100 g Imperialkaviar
1 Bund Schnittlauch
1 Glas Hummerrogen
Salz
Pfeffer aus der Mühle

Marinade:
Saft von 1 Limone
Saft von ½ Zitrone
150 ml Olivenöl
geriebene Schale einer Limone
geriebene Schale einer Zitrone
Meersalz

Mosaik von Sankt-Jakobsmuscheln

und Felsenaustern an Limonenvinaigrette und Imperialkaviar

Rotbarbenfilet

mit Ananas-
Mangochutney auf
Kokosrisotto und
Thai-Currysauce

183

Zubereitung

1. Thai-Currysauce: In einem Topf 40 g Butter erhitzen. Klein gewürfelte Schalotten, Lauch, Fenchel und Zitronengras darin andünsten. Die Fischgräten und Abschnitte hinzufügen. Das Ganze mit dem Currypulver bestäuben und kurz anschwitzen. Mit dem Weißwein und dem Noilly Prat ablöschen und mit Kokosmark, Fischfond und Sahne auffüllen. Das Ganze aufkochen lassen und bei schwacher Hitze 30 Minuten köcheln lassen. Sauce durch ein feines Haarsieb gießen und mit Salz, Cayennepfeffer und Thai-Currypaste abschmecken.

2. Kokosrisotto: Fein geschnittenen Knoblauch, Schalotten und Peperoni in Olivenöl andünsten. Den Reis und den Thymianzweig hinzufügen, leicht salzen, gut andünsten und mit dem Weißwein ablöschen. Mit Geflügelfond aufgießen und 20 – 25 Minuten garen. Dabei öfter umrühren. Den Thymianzweig entfernen. Risotto mit geriebenem Parmesan, Kokosmark und Butter binden und mit Salz und Pfeffer abschmecken.

3. Ananas-Mangochutney: Den Zucker leicht karamellisieren und mit dem Wodka ablöschen. Mangomark und Ananaswürfel hinzufügen und einmal kurz aufkochen lassen. Zum Schluss den rosa Pfeffer und den Cayennepfeffer unterheben.

4. Garnitur: Frühlingslauch in 4 cm lange Streifen schneiden, in Salzwasser kurz blanchieren und rasch in Eiswasser abkühlen. Mit Küchenkrepp trocken tupfen und danach in der Fritteuse bei 150 °C kross frittieren. Leicht mit Salz würzen.

5. Fisch: Rotbarbenfilets mit Salz und Pfeffer aus der Mühle beidseitig würzen. Olivenöl in einer Pfanne erhitzen. Die Fischfilets mit der Hautseite zuerst kräftig anbraten, kurz wenden und dabei öfter mit Bratöl übergießen.

6. Fertigstellung: Risotto auf vorgewärmten Tellern mit Hilfe eines Rings anrichten. Die Rotbarbenfilets auf den Risotto legen. Je eine Nocke Chutney abstechen und darauf anrichten. Mit der heißen Thaicurrysauce umgießen. Das Kokosmark aufschäumen und je 1 Esslöffel dazugeben. Zum Schluss mit dem Lauchstroh bestreuen.

Rotbarbenfilet
mit Ananas-Mangochutney auf Kokosrisotto und Thai-Currysauce

Die Zutaten

Für 4 Personen
4 Rotbarben à 250 g
50 ml Olivenöl
Meersalz
Pfeffer aus der Mühle

Thai-Currysauce:
200 ml Riesling, trocken
100 ml Noilly Prat
200 ml Fischfond
½ EL Madras-
Currypulver
40 g Kokosmark,
ungesüßt
½ Ingwerwurzel
5 Stangen Zitronengras
1 Fenchelknolle
6 Schalotten
1 Stange Lauch
50 ml Sahne
300 g Butter
1 TL Thai-Currypaste,
grün
Salz, Cayennepfeffer

Risotto:
150 g Risottoreis
20 g Schalotten
1 Knoblauchzehe
40 ml Olivenöl
1 Thymianzweig
100 ml Weißwein,
trocken
250 ml Geflügelfond
50 ml Kokosmark,
ungesüßt
je 2 rote und grüne
Peperonischoten
20 g Parmesan,
fein gerieben
80 g Butter
Meersalz
Pfeffer aus der Mühle

Ananas-Mangochutney:
100 g Ananas,
fein gewürfelt
30 g Mangofruchtmark
10 ml Wodka
1 Msp. rosa Pfeffer,
fein gehackt
Cayennepfeffer

Garnitur:
2 Stangen jungen
Frühlingslauch
50 g Kokosmark,
zum Abschmecken
Salz, Pfeffer
Öl zum Frittieren

Gänseleber

mit konfierter
Zitrone, Lorbeer und
Zitronenthymian,
im Salzteig gebacken

Zubereitung

1. Eingelegte Zitronen: Das Wasser mit dem Salz aufkochen und abkühlen lassen. Die Zitronen waschen, mit einer Nadel ringsum einstechen, in ein Einweckglas geben und mit der Salzlake übergießen. Alles gut verschließen und 6 Wochen ziehen lassen.

2. Salzteig (am Vortag zubereiten): Mehl, Salz, Eigelb und Wasser vermengen, in Klarsichtfolie einschlagen und 12 Stunden ruhen lassen.

3. Gänseleber: Die Gänseleber mit Meersalz und Pfeffer rundum gleichmäßig würzen. Die Mangoldblätter in reichlich Salzwasser blanchieren, in Eiswasser abschrecken und auf Küchenkrepp abtrocknen lassen. Den Salzteig einen halben Zentimeter dick ausrollen. Ein Rechteck (15 x 25 cm) abtrennen, mit Eigelb bestreichen, mit zwei Mangoldblättern belegen und darauf die Gänseleber setzen. Die eingelegte Zitrone halbieren, in dünne Scheiben schneiden und auf der Gänseleber verteilen. Darauf die Lorbeerblätter, den Zitronenthymian, die Pfefferkörner und dünne Ingwerscheiben geben und mit den restlichen Mangoldblättern einschlagen. Mit dem verbliebenen Salzteig abdecken, gut andrücken und die überstehenden Ränder abschneiden. Das Ganze mit Eigelb bestreichen und im Ofen bei 220 °C 25 Minuten lang backen.

4. Trüffelsauce: Die Butter in einem kleinen Topf aufschäumen und die fein gehackten Trüffeln darin 1 Minute andünsten. Mit Madeira, Portwein, Cognac und Trüffelsaft ablöschen und fast gänzlich einkochen, mit Entenfond auffüllen und bis zur gewünschten Konsistenz reduzieren lassen. Die Sauce mit Salz und Pfeffer abschmecken.

5. Selleriepüree: Milch und Sahne zusammen mit den Selleriewürfeln aufkochen und so lange köcheln lassen, bis der Sellerie gar und die Flüssigkeit fast vollständig verkocht ist. Mit dem Stabmixer fein pürieren, durch ein Haarsieb passieren, die Butter unterziehen und mit Salz, Pfeffer und Muskat abschmecken.

6. Anrichten: Den Salzteig öffnen, die Leber aus den Mangoldblättern wickeln und aufschneiden. Das Selleriepüree auf vorgewärmte Teller geben, die Leberscheiben darauf anrichten und mit der Sauce umgießen.

Gänseleber

mit konfierter Zitrone, Lorbeer und Zitronenthymian, im Salzteig gebacken

Die Zutaten

Für 4 Personen
350 g Gänseleber
4 Mangoldblätter
2 Eigelb
2 eingelegte Zitronen
2 Zweige Zitronenthymian
2 Lorbeerblätter
1 kl. Ingwerwurzel
Meersalz
Pfeffer aus der Mühle

Trüffelsauce:
10 g Butter
40 g schwarzer Trüffel
4 ml Madeira
4 ml Portwein
1 ml Cognac
50 ml Trüffelsaft
250 ml Entenfond
Salz
Pfeffer aus der Mühle

Selleriepüree:
200 ml Milch
200 ml Sahne
300 g Knollensellerie,
gewürfelt
100 g Butter
Salz, Pfeffer, Muskat

Salzteig:
150 g Mehl
150 g Salz
2 Eigelb
50 ml Wasser

Eingelegte Zitrone:
1 l Wasser
250 g Salz
2 unbehandelte Zitronen

Gefüllte Kaffeemakrone

mit Zichoriecreme,
Physaliskompott und
Macadamianüssen
in Salzbutterkaramell
mit Sauerrahmeis

Zubereitung

1. Kaffee-Makrone: Mandelgrieß und Puderzucker separat durchsieben. Eiweiß und Zucker zu steifem Schnee schlagen. Den Instant-Kaffee in Wasser auflösen, Bittermandelöl dazugeben und den Eischnee unterheben. Dann Mandelgrieß und Puderzucker unterheben. Aus dieser Masse 4 ca. 7 cm lange Makronen und 12 Tupfen von 2,5 cm Ø auf eine Silpatmatte dressieren. Im Gärschrank eine Kruste bilden lassen. Danach im Ofen auf gedoppeltem Blech bei 170 °C 12 Minuten backen.

2. Zichoriecreme: Mascarpone, Zichorie und Pralin glatt streichen. Gelatine einweichen, abtropfen und im Amaretto schmelzen lassen. Ein Drittel der Mascarpone-Mischung unterrühren und auf 30 °C erwärmen. Den Rest der Creme dazugeben und glatt rühren. Die geschlagene Sahne unterheben und kalt stellen.

3. Salzbutterkaramell: Zucker und Glukose karamellisieren lassen. Danach die Butter hinzufügen und mischen. Sahne und Vanille erwärmen und zur Karamellmischung geben. Karamell bis zum „kleinen Faden" einkochen lassen und die Nüsse unterziehen.

4. Zichorie-Kugeln: Zichorie im Thermomix fein mixen und den Zucker unterrühren. In eine Schüssel geben und mit Wasser vermengen. Kleine Kugeln formen, auf eine Silpatmatte legen und 3 Minuten bei 170 °C im Ofen trocknen lassen.

5. Sauerrahmeis: Sahne, Zucker und Glukosepulver auf 85 °C im Thermomix erhitzen. Crème fraîche und Zitronensaft hinzugeben. Die Masse in der Eismaschine gefrieren lassen. Dabei darauf achten, dass die Crème fraîche nicht „buttert".

6. Krokantblätter: Zucker, Wasser und Glukose zum hellen Karamell kochen. Die Butter mit einem Schneebesen unterrühren und eine Emulsion herstellen. Die gehackte Schokolade unterrühren. Die Krokantmasse warm und flüssig halten. Auf Backpapier hauchdünne Blättchen aufstreichen. Die Blätter trocken aufbewahren und beim Anrichten mit Blattgold dekorieren.

7. Physaliskompott: Gelierzucker und Orangensaft zum Kochen bringen. Physalismark hinzufügen und 1 Minute lang erhitzen bis die gewünschte Konsistenz erreicht ist. Das Kompott kalt stellen.

Gefüllte Kaffeemakrone

mit Zichoriecreme, Physaliskompott und Macadamianüssen in Salzbutterkaramell mit Sauerrahmeis

Die Zutaten

Für 4 Personen

Kaffee-Makrone:

150 g Mandelgrieß

200 g Puderzucker

25 g Zucker

1 TL Eiweißpulver

120 g Eiweiß

1 Tropfen Bittermandelöl

5 g Instant-Kaffeepulver

5 g heißes Wasser

Zichoriecreme:

125 g Mascarpone

20 g Chicorée Liquide

(flüssige Zichorie)

40 g Pralin Noisettes

von Valrhona

10 g Amaretto

20 g Zucker

1 Blatt Gelatine

120 g geschlagene Sahne

Salzbutterkaramell:

ca. 16 geröstete Macada-

mianüsse

125 g Zucker

25 g Glukosesirup

90 g Salzbutter

25 g Butter

125 g Sahne

Mark von 1 Tahiti-

Vanilleschote

Zichorie-Kugeln:

50 g Zichorie

50 g Zucker

Wasser

Sauerrahmeis:

250 g Sahne

270 g Zucker

30 g Glukosepulver

1 Msp. Stabilisator

750 g Crème fraîche

Saft von 2 Zitronen

Schokoladen-Krokant-

blätter:

125 g Zucker

75 g Glucose

50 g Wasser

25 g Butter

25 g Guanaja,

70% Bitterschokolade

Blattgold

Physaliskompott:

100 g Gelierzucker

75 g Orangensaft

125 g Physalismark,

(frische Physalis mit den

Kernen fein gemixt)

Zuckerspirale:

200 g Isomalt zum

Schmelzen bringen.

Auf eine Silpatmatte

gießen und auf ca.

80 °C abkühlen lassen.

Einen Faden ziehen

und um ein Rohr legen.

„Zum Niederknien"

Der renommierte Restaurantführer Gault Millau hat Harald Wohlfahrts Weg vom hoffnungsvollen Talent zu einem der weltbesten Köche vorausgesehen und mit seinen Kommentaren begleitet. Hier ist eine Auswahl von Zitaten:

„Kreative, aber nicht experimentell angelegte Kompositionen und Sorgfalt in der Zubereitung zeichnen jeden einzelnen Gang aus, die Qualität ist nun seit Jahren optimal und die Präsentation ein Augenschmaus." (1986)

„Er wirkt manchmal so schüchtern wie ein Ministrant bei der ersten heiligen Messe, dabei kocht er gottbegnadet. Alles bei Harald Wohlfahrt schmeckt zum Niederknien. Denn er arbeitet mit sakraler Strenge, komponiert ebenso mit beschwingter Leichtigkeit wie mit logischem Verstand und arrangiert mit sinnenfroher Ausdrucksvielfalt – ein Johann Sebastian Mozart der Kochkunst." (1988)

„Nie wären wir so vermessen, nur das Obere vom Streuselkuchen haben zu wollen, wenn wir nicht wüssten, dass wir es auch bekommen können. Von Harald Wohlfahrt beispielsweise, unserem Koch des Jahres! Bei ihm hinterlässt auch die kleinste Köstlichkeit ganz große Erinnerungen." (1991)

„So sicher wie das Amen in der Kirche ist für uns mittlerweile, dass wir beim Verlassen dieser Kathedrale kulinarischer Hochämter auch vom jüngsten Gericht entzückt und überrascht sein werden – welch größeres Kompliment können wir Harald Wohlfahrt machen?" (1994)

„Niemand hierzulande erreicht ihn auch nur annähernd darin, jedes Gericht so zu komponieren, dass der Gast mit jedem Bissen einen neuen geschmacklichen Höhepunkt erlebt ... Nichts ist dem Meister kompliziert genug, um uns glauben zu machen, ein Gesamtkunstwerk sei ganz unkompliziert. Jeder Gedanke bei einem Gericht ist zu Ende gedacht, jedes Detail Genuss pur, die Ästhetik auf dem Teller jedes Mal bezaubernd." (1997)

„Viele Gerichte Harald Wohlfahrts gleichen jenen Weinen, deren Bukett einen so fasziniert, dass man sie gar nicht trinken möchte. Diesen betörenden Grad an Kochkunst hat er nun auch noch erreicht ... Vom ersten Biss bis zum letzten Schluck merkt man, dass in der festlichen Eleganz alles mit höchstmöglichem Aufwand betrieben wird – auch das noble Bemühen, es so unaufdringlich wie möglich zu tun." (1998)

„Was ist ganz große Küche? Die beste Antwort ist Harald Wohlfahrt. Auch in diesem Jahr webte er uns wieder Teppiche aus wunderbaren Aromen, auf denen wir wie im Märchen in den siebten Himmel der kulinarischen Glückseligkeit entschweben konnten. Er ist der Beste in Deutschland." (2002)

„Kein Koch verdient sich den Neid der Kollegen so rechtschaffen wie Harald Wohlfahrt. Er ist, bis auf drei, vier Ausnahmen im Jahr vom morgendlichen Mise en place bis zum letzten Hauptgang am Abend in der Küche…" (2004)

„Wer bei ihm arbeitete oder aß, durfte erfahren, dass Perfektion kein deutscher Wahn, sondern eine kulinarische Tugend ist, die Wohlfahrt vom Einkauf der Produkte bis zum letzten Handgriff beim Anrichten so gnadenlos anstrebt wie Robuchon und Girardet zu ihren Glanzzeiten … Wie ein Schachgenie hat Wohlfahrt seine Partie durchdacht und die geschmackliche Reaktion des Essers vorausempfunden." (2005)

„Er ist sein erster Gast. Wenn es ihm schmeckt, ist ein neues Gericht gut. Wenn er es gut findet, ist es für uns Gäste exquisit, weil er sich und seinen Köchen nicht die leiseste Unsicherheit, die kleinste Schwäche, das geringste Abweichen von seiner Idealvorstellung durchgehen lässt … Nicht minder bewundernswert ist, wie er sich noch immer für Neues begeistern kann, selbstverständlich nicht mit ungestümem Enthusiasmus, sondern mit weiser Gelassenheit. Frei von Affektiertheit, Manierismus und missverstandenem Modernismus geht er den Weg der Qualität, Kreativität und Natürlichkeit." (2006)

„Für Wohlfahrts Küche genügt ein Wort: perfekt. Ein anderes Wort in dem Satz lässt einen stutzen: Küche – denn auf solcher Höhe ist das keine Küche mehr, sondern pure Kunst." (2007)

Die Spitzenmannschaft

„Ganz gleich, was für ein großer Krieger er ist, ein Häuptling kann die Schlacht nicht gewinnen ohne seine Indianer." Als von Teamwork im heutigen Sinne noch längst keine Rede war, hat ein weiser Mensch der Nachwelt diesen Satz hinterlassen. Im Kampf gegen das gastronomische Mittelmaß und um den Platz an der Spitze hat Harald Wohlfahrt eine Brigade um sich versammelt, die Tag für Tag die landläufige Behauptung erfolgreich widerlegt, dass viele Köche den Brei verderben.

Impressum

© 2007 Neuer Umschau Buchverlag GmbH,
Neustadt an der Weinstraße

Alle Rechte der Verbreitung in deutscher
Sprache, auch durch Film, Funk, Fernsehen,
fotomechanische Wiedergabe, Tonträger jeder
Art, auszugsweisen Nachdruck oder Einspei-
cherung und Rückgewinnung in Datenverarbei-
tungsanlagen aller Art, sind vorbehalten.

Herausgeberin
Katharina Többen, Neustadt an der Weinstraße

Rezepte
Harald Wohlfahrt, Hotel Traube Tonbach,
Baiersbronn

Texte
Holger Mühlberger, Wachenheim

Fotografie
Björn Kray Iversen, Albersweiler

Gestaltung und Satz
ThomThomdesign, Biggie Thoma, Freiburg

Wir bedanken uns für die freundlicherweise zur
Verfügung gestellten Fotos bei:
© Hotel Traube Tonbach, Baiersbronn, S. 11
rechts, S. 85 rechts; www.fotolia.de: S. 36 ©
Eric Visentin, S. 35 © Arnaud Duchon, S. 38
links © Kristina Günther, S. 38 rechts © Petro
Feketa, S. 40 © Mónika Teruelo, S. 42 © Véro-
nique El Youssfi, S. 115 © Joachim Angeltun;
© Philippe Petit, Paris MATCH (2004), S. 72;
© Studio Hendrik Kossmann (2005-2006),
Hamburg, für PALAZZO Produktionen GmbH,
Hamburg, S. 163; © media control GmbH & Co.
KG, Baden Baden, S. 164–165;

Alle übrigen Fotos:
Harald Wohlfahrt, Baiersbronn

Leider war es dem Verlag vor Druckbeginn nicht
möglich die Urheber einiger Bilder zu ermitteln.
Wir möchten uns dennoch an dieser Stelle für
die Bereitstellung der Fotos bedanken.

Die Texte auf den Seiten 196–197, © Gault-
Millau, der Reiseführer für Genießer
Deutschland 2007, erschienen im Christian
Verlag, München. Für die Bereitstellung
möchten wir uns herzlich bei der Redaktion
bedanken.

Herstellung
Heike Heckl

Reproduktion
RGD, Digitale Medientechnik, Langen

Druck und Verarbeitung
NINO Druck GmbH, Neustadt an der Weinstraße

Printed in Germany
ISBN: 978-3-86528-276-7

Die Ratschläge in diesem Buch sind von den
Autoren und dem Verlag sorgfältig erwogen
und geprüft, dennoch kann eine Garantie
nicht übernommen werden. Eine Haftung der
Autoren und des Verlages für Personen-, Sach-
und Vermögensschäden ist ausgeschlossen.

Besuchen Sie uns im Internet
www.umschau-buchverlag.de